comment peindre à
l'huile

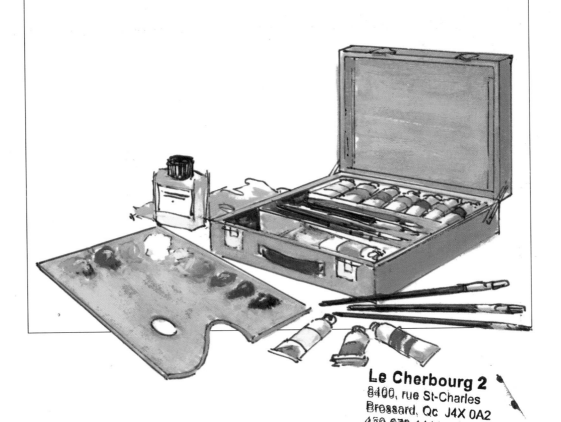

comment peindre à l'huile

Par José M. Parramón

Bordas

Directeur de collection : José M. Parramón Vilasaló
Auteur : José M. Parramón Vilasaló
Éditrice : Ángela Berenguer Gran
Croquis : Miquel Ferrón Geis
Maquette : Josep Guasch Cabanas
Originaux : Jordi Segú Pascó

Traduction française : Marianne Lechevalier

Édition originale :
Cómo pintar al Óleo
1ère édition : avril 1992
© 1992, José M. Parramón Vilasaló
© 1992 Parramón Ediciones, S.A.

Édition française :
© Bordas, S. A., Paris, 1992
ISBN 2-04-019790-7
Dépôt légal 1ère édition : octobre 1992

Achevé d'imprimer : septembre 1992
Imprimé en Espagne

Sommaire

Introduction

1

Fig. 1. José M. Parramón,
Le Pont de la rue Marina.
Collection particulière,
Barcelone.

J'ai réalisé mon premier dessin d'après nature à douze ans, dans une ruelle située derrière la cathédrale de Barcelone. J'ai commencé la peinture à l'huile à dix-huit ans ; à vingt-deux, j'ai exposé pour la première fois avec des peintures à l'huile et, à vingt-quatre, j'ai participé au premier Salon de la jeunesse, réservé aux peintres de moins de vingt-cinq ans. Il y avait soixante-treize exposants et j'ai remporté le premier prix avec un paysage urbain peint à l'huile.

Lorsque, des années plus tard, je donnais des cours de dessin et de peinture dans des académies et aux Beaux-Arts, je m'attachais à expliquer à mes élèves les possibilités offertes par chacune des techniques, mais toujours avec une insistance et une prédilection particulières pour la peinture à l'huile. Enfin, quand j'ai essayé de faire partager mon expérience et mes connaissances, j'ai écrit davantage de livres sur la peinture à l'huile que sur le dessin et les autres techniques. En effet, pour moi, *LA* peinture, c'est la peinture à l'huile.

Rien d'étonnant donc à ce que ce livre soit, parmi la trentaine que j'ai écrite et illustrée à ce jour, l'un de ceux qui me tiennent le plus à cœur. Rien d'étonnant non plus à ce que ce soit lui qui m'ait demandé le plus de temps pour mettre au point l'enseignement, les règles et les exercices qui permettront au lecteur — vous — d'apprendre vraiment la peinture à l'huile. Car c'est tout à fait possible... Déjà, en tournant cette page, vous trouverez un bref historique de la peinture à l'huile qui vous permettra de comprendre l'évolution des techniques des grands maîtres qui ont excellé dans ce moyen d'expression.

Vous apprendrez ensuite à connaître — avec des dizaines d'illustrations — tous les matériaux, ustensiles et meubles que l'artiste utilise pour peindre à l'huile, depuis les supports, brosses, palettes et couleurs jusqu'aux boîtes, chevalets et meubles auxiliaires.

Vous arriverez alors à une série d'exercices pratiques, en peignant avec une seule couleur, puis deux, puis trois. Vous apprendrez ensuite la théorie de la couleur et vous vérifierez vous-même qu'avec trois couleurs seulement, vous pouvez obtenir toutes celles de la nature. Vous mettrez cette théorie en pratique avec l'un des exercices les plus importants : obtenir plusieurs gammes de couleurs avec les trois couleurs primaires.

Le moment sera alors venu de composer, d'interpréter, de connaître les techniques de peinture à l'huile les plus souvent utilisées — la peinture directe et la peinture par étape —, de pratiquer les contrastes simultanés et successifs. Enfin, vous terminerez par un exercice qui résume tout l'apprentissage : une nature morte que vous composerez et peindrez pour tester votre capacité créative dans la peinture à l'huile. Mais sachez surtout qu'il faut pratiquer, travailler ! Matisse disait à ses élèves : « Il faut travailler comme un ouvrier. L'artiste qui a fait quelque chose qui vaut la peine n'a pas travaillé autrement. Toute ma vie, j'ai travaillé toute la sainte journée. »

José M. Parramón

Dès le début du XVᵉ siècle et jusqu'à aujourd'hui, les artistes ont trouvé, dans la peinture à l'huile, le moyen le mieux adapté à la réalisation de leurs œuvres. Au fil du temps, avec le changement des styles et leur permanente volonté de progresser pour tendre vers l'excellence artistique, ils ont accumulé les expériences et fait évoluer la peinture à l'huile. Les œuvres qui témoignent de cette progression montrent non seulement une admirable maîtrise de la technique mais aussi de nouvelles possibilités dans l'expression et l'utilisation du matériau. L'histoire de la peinture à l'huile tient tout entière dans cette évolution et, comme toute histoire, elle a ses protagonistes. Dans ce chapitre, nous avons retenu les peintres dont l'œuvre peut être prise comme point de référence de ce processus historique.

ÉVOLUTION HISTORIQUE DE LA PEINTURE À L'HUILE

Jan Van Eyck

L'invention de la peinture à l'huile est attribuée à Jan Van Eyck, mais nous savons aujourd'hui qu'elle lui est antérieure. En revanche, ce qui ne fait aucun doute, c'est qu'il a poussé ce procédé à un degré extraordinaire de perfection. Jan Van Eyck fut le maître le plus important de la première époque de l'école hollandaise. Entre 1422 et 1424, il travaille à La Haye avant d'être nommé peintre de chambre du duc de Bourgogne en 1425. À peu près à la même époque, il se rend à Bruges où il mourra en 1441. La légende raconte qu'un jour le jeune peintre eut la très désagréable surprise de constater qu'un de ses tableaux réalisé à la détrempe et recouvert d'une couche d'huile s'était craquelé en séchant au soleil. Dans les mois qui suivirent, Van Eyck s'évertua à fabriquer une huile capable de sécher à l'ombre. Après de nombreux essais infructueux, il trouva enfin ce qu'il cherchait : un mélange d'huile de lin et de « vernis blanc de Bruges » (le nom que portait à l'époque l'essence de térébenthine). Il dilua ses pigments dans ce mélange et obtint une peinture dont il pouvait graduer précisément la densité et qui séchait assez lentement pour permettre des retouches. Van Eyck ne se contenta pas de perfectionner le procédé de la peinture à l'huile : il réussit à atteindre le degré maximal de finesse et de d'exactitude dans son utilisation. Le tableau ci-contre (fig. 4) a été peint par Jan Van Eyck en 1434, soit il y a plus de cinq cents ans. Bien que la reproduction soit de bonne qualité, elle ne rend pas justice à l'original, dont la peinture est un prodige de conservation : les couleurs semblent avoir été récemment appliquées et tous les détails conservent la fraîcheur et le brillant du travail tout juste achevé.

Les tableaux de Van Eyck sont des démonstrations de technique et de virtuosité. Le passage de la lumière sur les formes est très précisément décrit ; les vêtements, les meubles, les carrelages, les plantes, etc., sont représentés jusque dans le moindre détail. Dans l'un de ses meilleurs portraits, il a accompagné sa signature d'une inscription latine disant : « Le mieux que j'ai pu. »

Avec le Maître de Flemalle et Rogier Van der Weyden — les deux autres grands maîtres flamands de l'époque — Jan Van Eyck a été le porte-drapeau de la nouvelle vision réaliste de la première Renaissance nordique. Il proposait que « les hommes, les femmes, les arbres, les champs » soient peints « tels qu'ils sont réellement ». De cet élan réaliste est née la grande tradition picturale des écoles flamandes et hollandaises, avec des représentants aussi prestigieux que Memling, Bouts, Bosch, Bruegel, Rubens, Van Dyck et Rembrandt.

L'influence de l'école flamande dépassa largement les frontières régionales pour se faire sentir, sous la Renaissance, dans le Nord de l'Italie et une bonne partie de l'Espagne. Certains auteurs ont même avancé l'hypothèse selon laquelle Vélazquez lui-même se serait inspiré d'œuvres flamandes — dont quelques-unes de Van Eyck — appartenant à des collections espagnoles et auxquelles il aurait donc eu facilement accès. Ce qui est en revanche certain, c'est que la peinture de Jan Van Eyck a été admirée par les plus grands artistes de l'histoire.

Fig. 3. Élève de Quentin Metsys, *Saint Luc peignant la Vierge et l'Enfant* (détail). National Gallery, Londres. Ce tableau est également un document d'une valeur inestimable car il montre l'atelier d'un peintre à la fin du XVᵉ siècle. L'artiste peint très probablement à l'huile et les matériaux qu'il utilise sont, pour l'essentiel, les mêmes que ceux d'un peintre professionnel contemporain.

Fig. 4. Jan Van Eyck (en activité de 1422 à 1441), *Les Époux Arnolfini*. Huile sur bois, 1434. National Gallery, Londres. Van Eyck a perfectionné le procédé de la peinture à l'huile jusqu'à atteindre un degré de délicatesse extraordinaire. Ce tableau est un exemple de l'incroyable maîtrise du peintre dans la représentation exacte de tous les détails des personnages et des objets.

3

Fig. 2. (Page précédente.) Titien (1487/90-1576), *Portrait d'un gentilhomme*. Huile sur toile. National Gallery, Londres.

4

Léonard de Vinci (1452-1519)

La peinture à l'huile a été introduite en Italie par le peintre flamand Juste de Gand. Parmi les peintres italiens qui ont adopté le nouveau procédé se trouve Léonard de Vinci.

Né en 1452 dans un village de la vallée de l'Arno, près de Florence, il fait son apprentissage artistique dans l'atelier du peintre et sculpteur florentin Andrea del Verrocchio. Les centres d'intérêt de Léonard de Vinci sont réellement universels : architecture, musique, hydraulique, géologie, botanique, anatomie... et, bien sûr, peinture.

Son célèbre *Traité de la peinture* est à la fois un ouvrage théorique, un bréviaire technique et une apologie du métier de peintre en tant que profession libérale (à l'époque, la peinture était encore considérée comme un « art mécanique »). Il y écrit par exemple : « Remarque que les ombres et les lumières sont unies non pas par des traits mais par quelque chose qui ressemble à de la fumée. » Par cette phrase, il énonce l'un des principes les plus révolutionnaires de l'histoire de la peinture : le *sfumato*, la fusion des contours des personnages et des objets dans l'atmosphère du tableau.

Les peintures de Léonard de Vinci sont les premières à montrer l'effet de l'air sur les objets et à estomper les parties éloignées du paysage (effet connu sous le nom de *perspective aérienne*). Pour obtenir ces résultats, il utilisait une technique très laborieuse, consistant à accumuler glacis sur glacis, à n'appliquer que des couches très diluées, aquarellées, de peinture à l'huile et à estomper les détails jusqu'à la limite du visible.

Fig. 5. Léonard de Vinci (1452-1519), *La Vierge aux rochers*. Huile sur toile, commandée en 1483. Musée du Louvre, Paris. La représentation des plantes et des rochers repose sur une étude consciencieuse de la nature. Les personnages et le paysage baignent dans une même atmosphère, une même lumière.

Fig. 6. Léonard de Vinci, *La Joconde*. Huile sur bois, entre 1503 et 1506. Musée du Louvre, Paris. Les formes du personnage se fondent doucement entre elles et avec le paysage. Ce même paysage constitue une grande innovation : la perspective aérienne.

6

5

Raphaël (1483-1520)
Michel-Ange (1475-1564)

Fig. 7. Raphaël (1483-1520), *Le Mariage de la Vierge* (détail). Huile sur bois. Pinacothèque Brera, Milan. Raphaël exécutait ses œuvres avec un technique dérivée de celle des maîtres flamands : superposition de glacis sur fonds de grisaille, c'est-à-dire avec une seule couleur mais de différentes intensités.

Fig. 8 et 9. Michel-Ange (1475-1564), *La Sainte Famille* dit *Tondo Doni* (ensemble et détail). Détrempe sur bois. Musée des Offices, Florence. Michel-Ange partait de volumes énergiques et puissants. Comme celle de Raphaël, sa technique était basée sur les glacis, sur la superposition de couches de couleur transparentes. Il terminait ses œuvres par tranches, comme s'il s'agissait d'une fresque.

Raphaël est mort à Rome, en 1520, à l'âge de trente-sept ans. À vingt et un ans, il peint déjà ses tableaux les plus célèbres, comme *Le Mariage de la Vierge*, dont nous reproduisons ci-dessous un détail (fig. 7). À vingt-six ans, sa renommée égale celle de Léonard. C'est alors que le pape Jules II l'appelle à Rome et lui confie la décoration des *stanze*, les chambres du palais du Vatican où Michel-Ange peignait alors la chapelle Sixtine.

Raphaël et Michel-Ange utilisaient l'huile de façon très approchante. On conserve quelques peintures inachevées de Michel-Ange qui permettent de reconstituer sa technique avec une certaine précision. Sur un panneau de bois recouvert d'un enduit de plâtre *(gesso)*, il dessinait au gris avec un pinceau fin. Il continuait avec une grisaille de terre verte (traditionnellement utilisée depuis l'époque gothique) appliquée à l'endroit des visages et des autres parties du corps. Sur cette

grisaille, il modelait les corps par des glacis rosés puis les voilait d'un vêtement peint en transparence. Les vêtements opaques étaient modelés à partir de leur couleur, mais plus saturée et plus foncée, en commençant par les ombres et en éclaircissant progressivement par des ajouts de blanc dans le mélange.

Comme les artistes flamands, Michel-Ange réalisait ses œuvres par parties, achevant certaines d'entre elles alors que le reste était encore à peine ébauché.

8

9

7

Titien (1487/90-1576)

Giovanni Bellini fut l'un des premiers peintres de Venise à adopter la peinture à l'huile, sous l'influence de Antonello da Messina, dont on dit qu'il l'avait apprise et pratiquée à Bruges pendant un certain temps. La peinture de Bellini a changé le cours de la tradition vénitienne en introduisant l'effet de réverbération de la lumière qui unifie les formes et adoucit les profils. Cette caractéristique est également très présente dans l'œuvre d'un autre Vénitien, Giorgione, dont l'historien Vasari a dit qu'il « peignait directement, car (il) croyait que peindre sans la référence du dessin était la véritable et meilleure manière de peindre ». Chez Giorgione, l'harmonie des couleurs et la douceur des formes étaient telles qu'une légende est née selon laquelle le peintre « partageait sa vie entre l'amour et la musique ».

Titien fut le disciple de Giorgione. À la fin de sa longue existence, il était devenu une autorité nationale, et même internationale, l'une des grandes figures de la Renaissance. On dit même que l'empereur Charles Quint lui fit l'honneur de ramasser le pinceau qu'il avait laissé tomber.

Titien porta à l'apogée de sa splendeur la tendance coloriste ouverte par Bellini et poursuivie par Giorgione. Bien que son dessin trahisse quelquefois l'influence de Michel-Ange, l'art de Titien repose sur la couleur : c'est elle qui crée les formes, qui suggère l'espace, qui tamise l'atmosphère.

Titien a tout simplement révolutionné l'art de la peinture. On pourrait établir une distinction entre la peinture avant et après Titien : avant, avec des formes strictes et des couleurs émaillées ; après, avec des formes douces et des couleurs mélangées, « sales », beaucoup plus harmonieuses. C'est en particulier visible dans la dernière période de Titien, lorsque ses tableaux perdent en précision mais gagnent en unité et en harmonie chromatique.

La technique utilisée par l'artiste se caractérise alors par une grande énergie dans la réalisation et par une facture très « abrégée », simplifiée. Titien peignait en commençant par étaler une couche uniforme de rouge de Venise sur la toile. Sur cette base, il dessinait et peignait en même temps les formes en utilisant trois couleurs : le jaune, le rouge et le noir, pour représenter respectivement les zones claires, moyennes et sombres. Ensuite, il réalisait le modelé par des séries de glacis, mais seulement sur les tons clairs. Ces glacis correspondaient à la couleur de base : rose sur rouge, jaune sur la couleur chair, etc. Enfin, Titien terminait sa toile en rehaussant les zones les plus claires par des touches de pinceau très enlevées, appelées frottis. C'est à eux que l'on doit l'unité d'atmosphère et de lumière de ses tableaux les plus célèbres, cette sen-

10

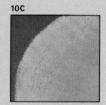

10A 10B 10C

La technique du frottis dans la peinture de Titien. Appliqué à la peinture à l'huile, le frottis désigne une manière particulière de peindre qui consiste à charger légèrement le pinceau de peinture épaisse et à le frotter énergiquement sur une zone déjà peinte et sèche, ou presque sèche. La couleur ajoutée est généralement plus claire que la base et elle la laisse visible, ce qui permet d'obtenir les passages de la lumière à l'obscurité, les brillants et les dégradés. Les figures 10A, 10B et 10C illustrent ce procédé : sur une superficie d'un

11

vert foncé, on frotte le pinceau chargé de peinture épaisse d'un ton plus clair. Le résultat est une sorte de fondu dans lequel les tons ne se mélangent pas mais s'enrichissent mutuellement. Cet enrichissement chromatique a été mené à sa plus haute expression par Titien, qui utilisait le frottis dans les zones de lumière de ses tableaux afin d'exalter la splendeur des couleurs et d'en accentuer la signification (fig. 11).

Fig. 12. Titien (1487/90-1576), *Portrait d'un gentilhomme*. National Gallery, Londres. Titien fut un coloriste génial, mais ses couleurs ne sont plus celles des maîtres flamands, ni celles des peintres de la Renaissance. Ce sont les couleurs de la nature, de la réalité. L'admirable effet chromatique de cette œuvre est basé sur le contraste entre la dominante bleue de l'ensemble du tableau et les couleurs chaudes du visage.

12

sation de réverbération dorée et de lumière chaude de fin d'après-midi.

En observant de près les dernières peintures de Titien, on ne distingue que des taches et des surcharges de couleurs. Il faut s'en éloigner pour voir les formes dans leur totalité. En utilisant la peinture à l'huile de façon directe et presque violente, le grand maître a brisé le lien avec la technique traditionnelle, basée sur des superficies de couleurs homogènes et des transitions douces et continues entre la lumière et l'obscurité.

D'autre part, Titien n'utilise pas les tons crus des vitraux, comme le faisaient ses prédécesseurs, mais une gamme unique de couleurs qui donne l'harmonie générale du tableau. L'utilisation qu'il fait de la peinture à l'huile annonce la peinture moderne.

Fig. 13 et 14. Titien, *Le Couronnement d'épines* (ensemble et détail). Huile sur toile. Alte Pinakothek, Munich. Les dernières œuvres de Titien se caractérisent par la rapidité et l'énergie de leur exécution. L'artiste utilisait la peinture directement et la mélangeait sur la toile pour obtenir une gamme extrêmement riche de couleurs éteintes, «sales», qui unifiaient l'harmonie générale.

13

14

Caravage (vers 1571-1610)

Michel-Angelo Merisi, dit Le Caravage, détestait la peinture maniériste, alors très en vogue, et n'appréciait ni les conventions, ni les fantaisies allégoriques ou mythologiques. Son instinct le poussait vers une peinture vraie. Pour lui, la grâce, l'attrait de la couleur, l'élégance du dessin ou la qualité de l'atmosphère étaient secondaires. L'important était la réalité des objets, leur présence physique, leur volume et leur poids. Sa grande trouvaille fut le traitement des formes par le contraste presque brutal entre l'ombre et la lumière.

Avant Caravage, on peignait « en vers », en poétisant la réalité. Caravage fut le premier à peindre « en prose », en décrivant objectivement les sujets choisis. Son influence fut immense puisqu'il inspira une lignée de peintres baroques dont la caractéristique commune est le naturalisme. Parmi les artistes influencés par Caravage, citons Rembrandt et Vélazquez, sans oublier Rubens, La Tour et Zurbaran.

16

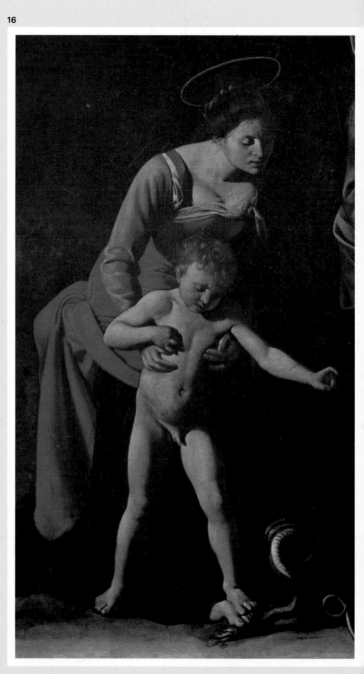

15

Fig. 15. Caravage (vers 1571-1610), *La Vocation de saint Matthieu* (détail). Huile sur toile. Église Saint-Louis-des-Français, Rome. La grande innovation de Caravage est la peinture *ténébriste*, un style basé sur l'accentuation maximale du contraste entre l'ombre et la lumière. Ce portrait permet de voir à quel point la transition entre le clair et le foncé est brutale, presque violente, ce qui augmente la puissance dramatique du visage.

Fig. 16. Caravage, *La Madone des palefreniers*. Huile sur toile. Galerie Borghèse, Rome. Caravage plongeait l'arrière-plan de ses tableaux dans une pénombre complète afin de rendre plus présent le volume des personnages et des objets. Il cherchait à traduire ainsi les aspects les plus physiques de la réalité visuelle.

Rubens (1577-1640)
Rembrandt (1606-1669)

Pierre Paul Rubens parlait cinq langues, en dehors du grec et du latin. Il fut chargé d'importantes missions diplomatiques par les gouverneurs des Pays-Bas, ce qui lui permit d'être en contact avec les princes et les rois les plus importants d'Europe. En marge de cette intense activité, Rubens trouva le temps de peindre plus de deux mille cinq cents tableaux. Il possédait un atelier dans lequel travaillaient de nombreux aides et disciples (Van Dyck, Jordaens, Snyders et Teniers, entre autres).

Pourtant, grâce à une technique très sûre et systématique, les œuvres de Rubens présentent une cohérence et une unité de style étonnantes. Sur un enduit gris argent, Rubens peignait en direct, réalisant non seulement des glacis mais aussi des empâtements avec des couches couvrantes de couleurs qu'il mélangeait directement sur la toile.

À la différence de Rubens, Rembrandt n'est jamais sorti de Hollande. Il disait qu'il existait suffisamment de tableaux d'artistes italiens dans son pays pour apprendre à connaître les œuvres maîtresses de la peinture sans avoir à voyager. Lui-même possédait une importante collection de peintures et de gravures qu'il dut vendre quand il eut de graves difficultés financières.

Rembrandt fut un des grands maîtres du clair-obscur. Dans ses compositions, la lumière est toujours focalisée sur le centre d'intérêt, le reste du tableau demeurant dans la pénombre. Les zones illuminées sont très riches en superpositions de couleurs, d'une matière très épaisse, alors que dans les parties sombres, la peinture est beaucoup plus diluée.

17

18

Fig. 17. Pierre Paul Rubens (1577-1640), *La Fortune* (détail). Huile sur toile. Musée du Prado, Madrid. Rubens a développé une technique de peinture à l'huile basée sur la combinaison entre le glacis et la peinture directe.

Fig. 18. Rembrandt Van Rijn (1606-1669), *Bethsabée au bain*. Huile sur toile, 1654. Musée du Louvre, Paris. L'une des caractéristiques les plus remarquables de la peinture de Rembrandt est l'utilisation qu'il fait de la pâte colorée, en accumulant les épaisseurs.

Vélazquez (1599-1660)

Les œuvres de jeunesse de Vélazquez sont influencées par le clair-obscur de Caravage dont il connaissait le travail par le biais des imitateurs. À Séville, dans les premières années du XVIIe siècle, le peintre pratiquait un réalisme strict, bien qu'assez éloigné du style qui devait le rendre universellement célèbre.

Sa réputation parvient à Madrid alors qu'il a vingt-quatre ans et le roi Philippe IV le nomme peintre de la cour. Il peut alors étudier les œuvres des collections royales et faire la connaissance de Rubens. C'est sur le conseil de ce dernier que Vélazquez demande et obtient l'autorisation de se rendre à Rome pour étudier la peinture des grands maîtres.

L'influence des peintres vénitiens, et en particulier de la touche de Titien et de la maîtrise de Rubens, est décisive : Vélazquez crée un style pictural qui, pour reprendre les termes du grand historien

Ernst Gombrich, a produit « des portraits dont quelques-uns doivent être rangés parmi les œuvres les plus séduisantes de toute l'histoire de la peinture ».

Comme Titien, Vélazquez peignait sur une toile préparée au rouge de Venise. Il commençait son tableau en dessinant à la pointe du pinceau, sans grande précision. Puis il *tachait* la toile avec différents gris, gradués en fonction de l'intensité des lumières et des ombres générales. Au moment de préciser la forme et de contraster les couleurs, il travaillait comme un impressionniste, par petites touches isolées (les « taches distantes » comme les définissait le poète Quevedo). Des touches qui, observées de près, paraissent incohérentes mais qui, vues à une certaine distance, constituent un ensemble étonnamment réaliste. C'est de cette manière qu'est peinte son œuvre maîtresse : *Les Ménines*.

Fig. 19. Diego Vélazque[z] (1599-1660), *Portra[it] équestre de Philippe I[V]* (détail). Musée du Prado Madrid. La peinture de[s] années de maturité d[e] Vélazquez combin[e] l'influence de la peintur[e] vénitienne, et plus con crètement de Titien, e[t] celle de Rubens : le colo risme et la richesse de la carnation.

Fig. 20. Diego Vélazquez *La Forge de Vulcai[n]* (détail). Huile sur toile 1630. Musée du Prado Madrid. Le réalisme de Vélazquez vient de l'influence de Caravage La représentation de l'anatomie humaine es[t] parfaite et infaillible.

19

20

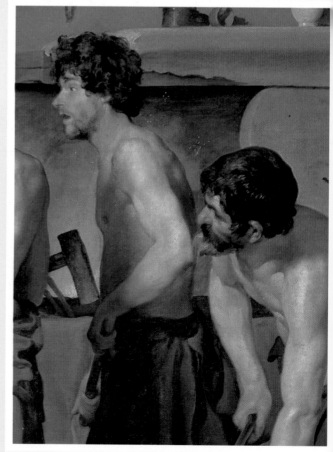

21

Fig. 21. Diego Velázquez, *Les Ménines*. Huile sur toile, 1656. Musée du Prado, Madrid. C'est l'une des œuvres les plus admirables de l'histoire de l'art. Le réalisme le plus aigu se fond harmonieusement avec la splendeur des couleurs. La réalisation est légère et fluide.

Goya (1746-1828)
Turner (1775-1851)

22

« Je n'ai que trois maîtres : la nature, Vélazquez et Rembrandt », dit un jour Francisco de Goya. En effet, plusieurs de ses gravures sont des copies de portraits de Vélazquez et, dans ses dernières peintures, le souvenir de Rembrandt — le clair-obscur, la puissance des empâtements — est omniprésent. Quant à la nature, la peinture de Goya est l'une des plus attentives et des plus vivaces de toute l'histoire de l'art. Dans ses meilleurs moments, elle se fait couleur pure, presque sans clair-obscur. L'exécution semble suivre le chemin le plus court et le plus direct vers la forme.

Autre peintre révolutionnaire, William Turner. Son utilisation audacieuse des superpositions de couleurs et son traitement très riche de la lumière ont fait que sa peinture n'a pu être pleinement comprise et acceptée qu'à l'avènement du mouvement impressionniste.

23

Ingres (1780-1867)
Delacroix (1798-1863)

En France, la première moitié du XIXᵉ siècle fut dominée par la puissante figure de deux peintres antagoniques : Ingres et Delacroix. Ingres était le défenseur de la perfection académique du dessin, de la clarté absolue de la forme. Delacroix, le romantique Delacroix, revendiquait la couleur.

À la vérité, les deux peintres utilisaient des techniques qui n'avaient rien, ou presque, en commun. Ingres peignait en glacis transparents, avec de légers empâtements. Il modelait les formes avec une précision extraordinaire (« Il faut modeler franchement », disait-il) et ses couleurs semblent émaillées, propres, sans tache. Ingres parlait du « divin Raphaël » et, tout au long de sa vie, il tenta de rivaliser avec la perfection et l'équilibre classiques des grands maîtres italiens.

Delacroix construisait les formes à partir de la couleur, en recherchant les contrastes. Pour lui, le dessin consistait surtout à exprimer le mouvement. Il affirmait qu'« un bon dessinateur est celui qui peut faire un croquis d'un personnage tombant d'un dernier étage ». Les peintures de Delacroix montrent de solides empâtements, des frottis, des traits directs au pinceau. Le dessin n'est qu'une armature de la composition et les contours apparaissent et disparaissent sans cesse. Delacroix a pris ce sens du mouvement et du geste chez Rubens, le grand maître des compositions dynamiques.

Ingres et Delacroix ont toujours été ennemis. Après leur mort et avec l'arrivée de l'impressionnisme, la balance a penché en faveur de Delacroix : la couleur avait gagné.

Fig. 22. Francisco de Goya (1746-1828), *Portrait de la comtesse de Chinchón* (détail). Huile sur toile, 1800. Collection du duc de la Sueca, Madrid.

Fig. 23. Joseph Mallord William Turner (1775-1851), *Vue de Venise*. Huile sur toile, 1845. Tate Gallery, Londres.

Fig. 24. Jean-Auguste-Dominique Ingres (1780-1867), *Portrait de mademoiselle Rivière*. Huile sur toile, 1805. Musée du Louvre, Paris.

Fig. 25. Eugène Delacroix (1798-1863), *La Liberté guidant le peuple* (détail). Huile sur toile, 1830. Musée du Louvre, Paris.

Manet (1832-1883)
Monet (1840-1926)

L'une des manifestations culturelles les plus appréciées du public parisien du XIXᵉ siècle était le « Salon ». Un jury académique décidait si les œuvres devaient ou non être exposées. Lors du Salon de 1863, le jury refusa quelque deux mille tableaux et un millier de sculptures. Le scandale qui s'ensuivit conduisit à l'organisation du « Salon des refusés ». C'est là que, pour la première fois, le public put voir des toiles de Monet, Pissaro, Renoir, Cézanne... tous ceux qui deviendraient ensuite les maîtres de l'impressionnisme. Pourtant, les choses ne furent pas si simples pour ces peintres. Édouard Manet et Claude Monet furent largement méprisés et incompris. Le premier cherchait à exprimer les formes exclusivement à partir de la couleur. Il trouva chez Vélazquez et Goya sa principale source d'inspiration mais ses tableaux, à l'exception de ceux de la dernière époque, sont encore réalisés en atelier.

Monet, au contraire, est sorti de son atelier pour peindre ses paysages d'après nature, ce qui était révolutionnaire à une époque où la peinture académique et rhétorique était encore toute-puissante.

26

Fig. 26. Édouard Manet (1832-1883), *Le Joueur de fifre*. Huile sur toile, 1866. Musée d'Orsay, Paris. Manet a beaucoup travaillé pour retrouver et actualiser la science picturale de Vélazquez et de Goya. Cette toile est directement influencée par Vélazquez. Seul y a sa place le jeu des couleurs, à l'exclusion presque totale de celui des ombres et des lumières.

Fig. 27. Claude Monet (1840-1926), *Impression, soleil levant*. Huile sur toile, 1872. Musée Marmottan, Paris. L'impressionnisme doit son nom à cette toile. Les préparations et l'élaboration, propres à la peinture classique, sont mises de côté et les artistes ne se laissent plus guider que par leurs sensations face à la nature.

27

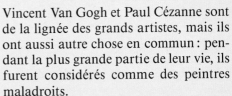

Cézanne (1839-1906)
Van Gogh (1853-1890)

Vincent Van Gogh et Paul Cézanne sont de la lignée des grands artistes, mais ils ont aussi autre chose en commun : pendant la plus grande partie de leur vie, ils furent considérés comme des peintres maladroits.

Cézanne renonça à exposer à Paris, lassé des moqueries de la presse et du public. Irritable et solitaire, il se consacra entièrement à son art pour le perfectionner et en faire quelque chose de durable. Cézanne voulait, comme il le disait lui-même, « faire de l'impressionnisme une chose solide et durable comme l'art des musées », c'est-à-dire un style à part entière, au même titre que ceux du passé. Van Gogh vendit une seule toile de son vivant, *Vignobles rouges à Arles*, pour quatre cents francs. En 1990, la maison Sotheby's, de New York, vendait *Les Iris* aux enchères pour 53,9 millions de dollars (environ 300 millions de F). Même si, dans les dernières années de sa vie, Van Gogh a obtenu une certaine reconnaissance de la critique, sa vie a été une lutte sans relâche et à contre-courant pour restituer sur la toile sa vision très personnelle de la forme et de la couleur.

Avec les impressionnistes, et surtout avec Cézanne et Van Gogh, la technique classique de la peinture à l'huile entre dans sa phase finale. Ni préparations, ni glacis, ni grisaille préalables : la peinture en direct. L'art de Cézanne et de Van Gogh dépendait entièrement de l'acuité de leur perception de la nature et de leur imagination formelle. Aucun « truc » technique à rechercher : à chaque toile, tout devait recommencer à nouveau. Pour la majorité du public et de la critique, cette absence de « secrets » techniques relevait de la maladresse. Pour nous, cent ans plus tard, elle représente la pureté et l'authenticité.

Fig. 28. Paul Cézanne (1839-1906), *Le Cabanon de Jourdan*. Huile sur toile, 1906. Collection Riccardo Jucker, Milan. Cézanne a introduit, dans la vision directe de la nature, un traitement géométrique de la composition.

Fig. 29. Vincent Van Gogh, *Autoportrait*. Huile sur toile, 1887. Kunsthistorisches Museum, Neue Galerie, Vienne. Chez Van Gogh, la touche épaisse, chargée de peinture, atteint un degré de présence encore jamais vu dans la peinture à l'huile.

Matisse (1869-1954)

« Je voudrais que ma peinture soit comme un fauteuil dans lequel la personne fatiguée d'une dure journée pourrait reposer ses nerfs et ses muscles », disait Henri Matisse. Il aspirait à une peinture décorative qui exprimerait en même temps la sensualité des formes, corps ou objets. En 1905, Matisse et quelques autres peintres surprenaient Paris avec une exposition de tableaux exaltés, tant dans la couleur que dans la composition. C'est ce groupe que l'on allait appeler les « fauves ». Si les impressionnistes avaient pratiqué la peinture directe en se soumettant au diktat de leurs sensations visuelles, les fauves faisaient abstraction des détails et recherchaient l'intensité la plus grande dans les accords de couleur. Matisse a peint quelques intérieurs où une seule couleur domine, le rouge ou le bleu. Le clair-obscur n'existe plus et la forme est définie par un dessin linéaire, sans volume. Pourtant, les harmonies et les contrastes sont tellement raffinés que l'ensemble donne une image convaincante, bien que très abstraite, du monde réel.

30

31

Fig. 30. Henri Matisse (1869-1954), *Grand intérieur rouge*. Huile sur toile, Vence, 1948. Musée national d'Art moderne, Centre Georges-Pompidou, Paris. Chez Matisse, la couleur tend davantage vers l'abstraction décorative que vers la description de la nature. Pourtant, il maintient une cohérence suffisante pour rendre ses œuvres très personnelles et parlantes.

Fig. 31. Félix Vallotton (1865-1925), *La Troisième Galerie : théâtre du Châtelet*. Musée d'Orsay, Paris. La peinture fauve s'est caractérisée par une utilisation exclusive des tons les plus intenses, juxtaposés dans des contrastes énergiques et décoratifs.

Picasso (1881-1973)

32

Fig. 32. Pablo Picasso (1881-1973), *Course de taureaux*. Huile sur carton, montée sur panneau, 1901. Collection privée. Picasso a été le grand révolutionnaire de la peinture contemporaine. Son œuvre emprunte des styles très différents mais conserve toujours la même intensité et la même rapidité d'exécution.

Fig. 33. Pablo Picasso, *Au lapin agile (Arlequin au verre)*. Huile sur toile. Collection privée.

33

Picasso fut le grand révolutionnaire de l'art du xxᵉ siècle. Son œuvre étant passée par différentes étapes d'évolution, il est très difficile de dire ce qu'est le « style Picasso ». Avec Georges Braque, il a inventé la peinture cubiste, l'une de celles qui a le plus influé sur l'art contemporain. Mais sa capacité inventive ne s'est pas arrêtée là et de nouvelles formes et couleurs sont sorties de son imagination. Les déformations auxquelles Picasso a soumis les formes réelles ne s'expliquent pas par la maladresse. Nous en avons pour preuve ses œuvres antérieures au cubisme : les périodes dites « bleue » et « rose », où le dessin et la couleur répondent à une vision conventionnelle et où éclate tout le talent de Picasso dans le traitement des thèmes traditionnels.

S'il existe un peintre dont on peut dire qu'il ignore les règles, c'est bien Picasso. À première vue, sa peinture paraît chaotique : rectifications, superpositions de couleurs, changements de composition... Mais Picasso obéissait toujours à son instinct de peintre, ce qui l'obligeait parfois à des corrections.

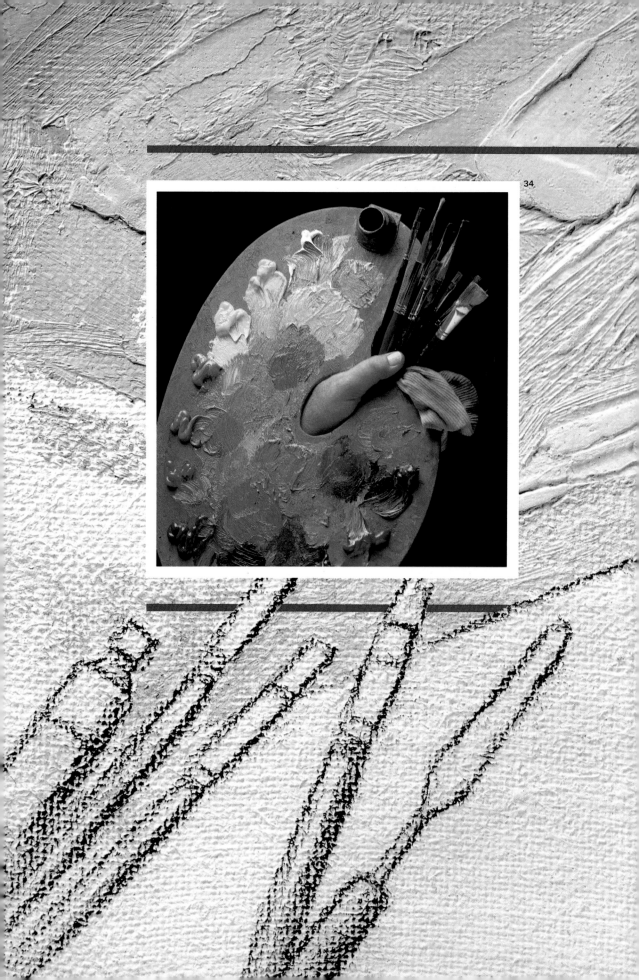

34

La technique et la pratique de la peinture à l'huile reposent sur l'utilisation de plusieurs matériaux et ustensiles, dont quelques-uns n'ont pas changé tout au long de leur histoire. D'autres se sont considérablement modifiés et améliorés mais, pour l'essentiel, les peintres se sont toujours servis des mêmes instruments. C'est pourquoi nous avons aujourd'hui une bonne connaissance, confirmée par la tradition, de leurs qualités respectives. Connaître les matériaux qu'offre le marché, savoir lesquels sont indispensables ou non, apprendre la manière de les utiliser et de les conserver en bon état, tel est le but de ce chapitre. En suivant les explications, vous pourrez acquérir les connaissances nécessaires au choix des ustensiles qui répondront le mieux à vos ambitions.

MATÉRIAUX ET USTENSILES

Les couleurs à l'huile

L'artiste amateur ou professionnel a-t-il intérêt, aujourd'hui, à fabriquer lui-même ses couleurs ? La majorité des auteurs, techniciens et enseignants répondent par la négative à cette question. Toutefois, il se trouve encore quelques « conseillers » pour persister dans la vieille idée selon laquelle les couleurs du commerce sont loin d'offrir une garantie absolue de qualité et exposent ceux qui les utilisent au risque de voir leur œuvre se détériorer avec le temps. Au demeurant, si vous éprouvez le besoin de confirmer les conclusions de ces « fins connaisseurs » en interrogeant des peintres expérimentés ou célèbres, vous constaterez qu'aucun d'eux ne fabrique aujourd'hui ses propres couleurs à l'huile : tous les achètent chez les commerçants spécialisés. Il n'est cependant pas inutile de faire un petit retour en arrière pour connaître certains points d'histoire.

Les documents et livres anciens, et aussi le grand spécialiste en la matière, Maurice Bousset, lorsqu'ils décrivent l'atelier où travaillaient les maîtres anciens, de Van Eyck à Goya, en passant par Léonard de Vinci, Titien, Raphaël, Le Greco, Rubens, Rembrandt ou Vélazquez, mentionnent l'existence d'une pièce dans laquelle l'artiste fabriquait ses couleurs. Dans cette « cuisine » ou ce laboratoire, nous pouvons imaginer des rangées d'étagères chargées de flacons étiquetés contenant chacun un pigment (ou couleur en poudre). Sur les étiquettes, des noms encore en usage de nos jours dans les tables de couleurs des fabricants : « blanc de plomb », « jaune de Naples », « vert Véronèse », « bleu outremer »... Près des flacons, dans des bouteilles et des pots de terre cuite, toute une gamme de liquides, d'huiles et de vernis aux noms familiers : « huile de lin », « huile de noix », « gomme mastic », « cire vierge ».

Dans un coin, un poêle allumé. Devant les étagères, une table massive recouverte d'une plaque de porphyre. À côté, plusieurs mortiers, des pilons, des spatules, des pinceaux, des éprouvettes graduées... C'est sur cette table que le peintre fabriquait ses couleurs, en utilisant une technique qui, pour l'essentiel, ne diffère pas de celle que pourrait suivre un peintre actuel.

35

Fig. 34. (Page précédente.) La palette ovale avec les couleurs les plus fréquemment utilisées dans la peinture à l'huile.

Fig. 35. Artiste broyant ses couleurs au XVIIe siècle (d'après Ryckaert). Gravure sur bois de Maurice Bousset.

La fabrication des couleurs à l'huile

La fabrication des couleurs à l'huile ne présente pas de difficulté particulière : il s'agit de diluer le pigment dans de l'huile de lin en le broyant avec un pilon de verre sur une plaque de marbre (voir explications en bas de page). En revanche, pour les maîtres anciens, la difficulté était double : trouver des produits purs, de bonne qualité, et découvrir une formule de fabrication adaptée à leur style et offrant un minimum de garanties de séchage, d'inaltérabilité des couleurs, de solidité et de conservation. Chaque artiste possédait sa propre formule. Tandis que Léonard de Vinci « faisait de multiples essais en changeant d'huile à chaque fois », Dürer employait de « l'huile de noix qu'il filtrait au moyen de charbon tamisé » et Titien de « l'essence de lavande et de l'huile de pavot clarifiée au soleil ». Quant à Rubens, « il peignait au vernis de coprah, à l'huile de pavot et à l'essence de lavande ». Ces formules — et bien d'autres — mentionnées par Maurice Bousset et Max Doerner marquaient de leur caractéristique les œuvres de ces maîtres.

Ce travail artisanal s'est poursuivi jusqu'au milieu du XIXᵉ siècle. Puis la révolution industrielle donna le jour aux premières fabriques de couleurs, dont certaines, par manque d'expérience ou absence de scrupules, mirent sur le marché de mauvaises, voire de très mauvaises couleurs, dont les résultats désastreux ne tardèrent pas à se manifester. C'est en particulier visible dans les tableaux de certains impressionnistes, les premiers à utiliser des couleurs en tube : des taches apparaissent, les couleurs sont altérées, les blancs sont presque devenus jaunes, les bleus tirent sur le vert, les bruns et les ocres ont noirci...

De tels désastres seraient des arguments suffisants pour justifier un retour aux méthodes traditionnelles. Pourtant — et en partie à cause de ces résultats malheureux —, l'industrie moderne de la couleur fabrique aujourd'hui des produits d'une qualité infiniment supérieure à celle que connaissaient les anciens et avec une matière première de meilleure qualité. Le dilemme étant donc résolu, allez dans un magasin, demandez une bonne marque de couleurs à l'huile et oubliez tout hormis de peindre.

Fig. 36 à 39. Les différentes phases du procédé traditionnel de fabrication des couleurs à l'huile : on dépose sur une plaque de marbre le pigment en poudre de la couleur souhaitée (fig. 36) ; on verse sur le pigment une petite quantité d'huile de lin tout en broyant avec un pilon de verre (fig. 37) ; le mélange doit prendre l'aspect d'une pâte parfaitement homogène, sans grumeau (fig. 38) ; la couleur obtenue doit être conservée dans un récipient de verre hermétiquement clos (fig. 39).

36

37

38

39

La fabrication des couleurs à l'huile

40

41

42

43

44

Fig. 40 à 44. Aujourd'hui, les peintures à l'huile de grandes marques sont fabriquées selon des procédés industriels. Globalement, ces procédés ne diffèrent pas de la méthode traditionnelle : les pigments en poudre sont mélangés à de l'huile de lin (en plus d'autres additifs, comme la cire, par exemple), broyés par des machines spéciales et conditionnés en tubes d'étain. L'expérience et le professionnalisme des fabricants reconnus sur le marché garantissent une qualité très supérieure à celle que n'importe quel artiste pourrait obtenir par ses propres moyens. (Photos : la fabrique de couleurs Talens.)

Les jaunes

Les grands fabricants de peinture à l'huile offrent un échantillonnage de couleurs extrêmement large. Certains d'entre eux fournissent des tables allant jusqu'à quatre-vingt-dix couleurs, parmi lesquelles peuvent figurer jusqu'à dix jaunes différents. Cette diversité permet de disposer de couleurs très précises pour des besoins spécifiques, mais aucun artiste n'utilise la totalité des tons disponibles et travaille avec douze ou quatorze couleurs. Voyons maintenant les caractéristiques des couleurs les plus habituelles dans la peinture à l'huile.

Blanc de titane (fig. 45). C'est le pigment blanc qui a remplacé les traditionnels blanc d'argent et de zinc. Il est très couvrant et possède un grand pouvoir colorant.

Blanc de plomb ou d'argent. Doté d'une grande opacité et d'une bonne force couvrante, il convient aux fonds et sèche vite mais il est très toxique.

Blanc de zinc. D'un ton plus froid que le blanc de plomb, il couvre moins et sèche plus lentement.

Jaune citron (fig. 46). C'est un chromate de baryum, une couleur durable qui ne présente pas d'inconvénients particuliers.

Jaune de Naples. C'est l'une des couleurs les plus anciennes. Il est opaque, sèche bien mais il est très toxique.

Jaune de cadmium (fig. 47). Un sulfure de cadmium d'une couleur puissante, intense mais lent à sécher et susceptible d'être mélangé à toutes les couleurs sauf à celles qui contiennent du cuivre. On l'utilise dans les tons clairs, moyens et sombres.

Ocre jaune (fig. 48). Une terre naturelle qui contient de l'oxyde de fer hydraté. C'est l'une des couleurs les plus anciennes que l'on connaisse, d'un grand pouvoir couvrant et colorant, inaltérable et pouvant être mélangée à toutes les autres couleurs.

45   46   47   48

Les rouges

Parmi les couleurs rouges, les terres claires (naturelles ou brûlées) sont, avec les ocres, les couleurs les plus anciennes et les plus utilisées dans l'histoire. Les rouges les plus employés sont les terre de Sienne, naturelles ou brûlées, le rouge de cadmium et le carmin de garance.

Terre de Sienne naturelle (fig. 49). Elle doit son nom à la ville italienne. C'est une terre naturelle qui contient de l'oxyde de fer hydraté. Elle est brillante et ne présente pas d'inconvénient dans les mélanges. Étant diluée dans une grande quantité d'huile, elle peut noircir et c'est pourquoi il n'est pas recommandé de l'utiliser pour couvrir de grandes surfaces.

Terre de Sienne brûlée (fig. 50). On l'obtient en faisant brûler la terre de Sienne naturelle. Elle possède les mêmes caractéristiques mais elle noircit moins facilement. Les maîtres vénitiens l'utilisèrent et, selon certains auteurs, Rubens s'en servait pour rendre les carnations brillantes.

Rouge vermillon. C'est une couleur très lumineuse, qui couvre bien mais sèche difficilement et tend à noircir lorsqu'elle est exposée longtemps au soleil. Il peut être mélangé à toutes les couleurs, sauf à celles qui contiennent du cuivre.

Rouge de cadmium (fig. 51). C'est un cadmium séléno-sulfide complexe. D'une couleur brillante, d'un grand pouvoir colorant et d'un ton très puissant, il couvre très bien et peut être mélangé à toutes les couleurs, excepté à celles qui contiennent du cuivre. On l'utilise dans les tons clairs, moyens et foncés.

Carmin de garance (fig. 52). Aussi appelé carmin d'alizarine, c'est une laque d'une grande puissance de ton. Très brillant, transparent et séchant lentement, il donne dans les mélanges une vaste gamme de pourpres, de roses, de carmin et de rouges.

Les verts et les bleus

Vert permanent. Ce mélange d'oxyde de chrome et de jaune citron de cadmium donne une couleur lumineuse qui peut être utilisée sans aucune restriction.

Terre verte. Dérivée de l'ocre, elle fournit un vert tirant sur le brun kaki. C'est l'une des couleurs les plus anciennes que l'on connaisse et elle peut être utilisée sans limitations.

Vert émeraude (fig. 53). Également connu sous le nom de vert viridian, c'est un oxyde de chrome hydraté. Il est considéré comme le meilleur des verts pour sa richesse de ton, sa stabilité et la qualité des gammes auxquelles il donne lieu.

Bleu de cobalt (fig. 54). C'est un composé d'oxyde de cobalt, d'oxyde d'aluminium et d'acide phosphorique. Découverte en France en 1802 et introduite dans la peinture artistique en Angleterre en 1870, cette couleur métallique ne présente pas de limitation particulière. Elle sèche rapidement mais il faut éviter de l'appliquer sur des couches de peinture encore fraîches si l'on veut éviter les craquelures. Elle couvre bien et n'est pas toxique.

Bleu outremer (fig. 55). À l'origine, c'est le plus apprécié de tous les pigments. On l'obtenait en triturant une pierre semiprécieuse, le lapis-lazuli. Utilisé en Europe à partir du XIIe siècle, on le connaît aujourd'hui sous sa forme artificielle, également appelée outremer français. C'est un mélange d'aluminium, de silice, de soude et de sulfure obtenu en 1828. D'une opacité et d'une vitesse de séchage normales, il est commercialisé en version claire et foncée.

Bleu de Prusse (fig. 56). Appelé aussi bleu Berlin, bleu bronze, bleu Paris ou pâte bleue, il est composé de ferrocyanure de fer et possède une très grande puissance colorante. Il est transparent et sèche bien. La lumière peut le décolorer et il ne doit pas être mélangé au vermillon ou au blanc de zinc.

53   54   55   56

Les bruns et les noirs

Terre d'ombre naturelle (fig. 57). C'est une terre naturelle semblable à la terre de Sienne mais contenant davantage de magnésium. Elle offre une légère teinte verdâtre et peut être utilisée sans inconvénient mais noircit avec le temps. Séchant très rapidement, elle ne doit pas être appliquée en couches épaisses.

Terre d'ombre brûlée (fig. 58). C'est de la terre d'ombre naturelle calcinée. D'un ton beaucoup plus chaud que la précédente, elle est légèrement rougeâtre. Elle sèche vite mais finit par noircir.

Brun Van Dyck ou terre de Cassel (fig. 59). Également appelée terre de Cologne ou marron Van Dyck, c'est une terre naturelle bitumineuse contenant de l'oxyde de fer et à l'aspect marron-noir. Elle sèche mal et son emploi doit être limité aux glacis, aux retouches, sur des surfaces restreintes.

Noir d'ivoire (fig. 60). C'est le plus utilisé de tous les noirs. On l'obtient généralement en brûlant des os broyés mais une variété de grande qualité est fabriquée à partir d'éclats d'ivoire. Il donne un noir profond et ne présente pas d'inconvénient dans les mélanges ni dans le séchage.

Noir de fumée. C'est un noir froid, stable, qui ne présente aucun inconvénient dans les mélanges.

Il faut signaler que certains peintres obtiennent le noir en mélangeant plusieurs tons foncés comme le bleu de Prusse, la terre d'ombre brûlée, le vert émeraude et le carmin de garance. Ces mélanges permettent de graduer l'intensité de la couleur et d'obtenir un ton plus ou moins chaud ou froid. Dans ce domaine, il n'existe aucune règle absolue : chacun utilise le noir, en tube ou fabriqué avec des mélanges, comme il l'entend, en fonction de ses préférences et des effets recherchés.

57   58   59   60

Diluants et vernis

Fig. 61. On trouve dans le commerce de très nombreux diluants, vernis et essences, mais les seuls indispensables sont : l'huile de lin, l'essence de térébenthine, un vernis de retouche et un vernis final de protection, bien que ces deux derniers ne soient plus guère utilisés de nos jours.

Les médiums, les huiles et les vernis sont des produits utilisés pour diluer la couleur, peindre des fonds, retoucher, faire des glacis, etc. Nous parlerons ici de leurs caractéristiques.

L'essence de térébenthine. C'est une huile non grasse, volatile, le meilleur des agents dissolvants. Elle sèche par évaporation et accélère le séchage de l'huile, ce qui permet de travailler par superposition de couches. Utilisée généreusement, elle donne une qualité mate aux couleurs. Toutefois, il n'est pas conseillé d'en abuser afin de ne pas faire perdre à la couleur sa cohésion et la densité nécessaire pour adhérer à la superficie du support. L'essence de térébenthine est également utilisée pour effacer des zones fraîchement peintes et pour nettoyer les pinceaux, les spatules et la palette. Elle est inflammable et une exposition prolongée au soleil peut l'épaissir et la rendre résineuse.

L'huile de lin. C'est un liant des peintures à l'huile mais elle est rarement utilisée seule car le mélange ainsi obtenu serait beaucoup trop gras et retarderait le séchage. Utilisée comme dissolvant, l'huile de lin donne le brillant classique de la peinture à l'huile. Si le brillant apparaît irrégulièrement dans le résultat final, il convient alors de vernir le tableau une fois terminé et bien sec.

De nombreux artistes utilisent comme diluant une solution mixte d'essence de térébenthine et d'huile de lin dans des proportions qui varient en fonction du résultat recherché, plus mat ou plus brillant.

Les médiums. Ce sont des diluants composés de résines synthétiques, de vernis séchants et d'essences d'évaporation lente ou rapide. Les plus courants sont le médium Rembrandt normal et le médium Rembrandt à séchage rapide. Tous deux peuvent être utilisés à chaque étape du tableau, du début jusqu'aux retouches finales.

Les vernis. Il en existe deux grandes catégories : ceux de retouche et ceux de protection. Les premiers sont composés de résines synthétiques et d'huiles volatiles ; ils donnent un brillant uniforme au tableau ou réhaussent, par des retouches, le brillant de zones mates. Les seconds, mats ou brillants, s'appliquent sur la peinture sèche afin de la protéger. En plus des traditionnels flacons, ils sont maintenant commercialisés sous forme d'aérosols.

61

Assortiment et présentation

Les couleurs à l'huile sont commercialisées sous forme de tubes d'étain ou de plastique fermés d'un bouchon vissé. On les trouve en quatre ou cinq capacités différentes (en plus de la boîte d'un kilo que proposent certaines marques) et en deux qualités : scolaire et professionnelle. Le tableau ci-contre donne les mesures et les capacités des tubes vendus dans le commerce. Il vaut mieux choisir la taille moyenne pour toutes les couleurs, excepté pour le blanc qui doit être d'une plus grande taille (les trois tubes reproduits ci-contre illustrent le rapport entre trois capacités).

Les couleurs à l'huile de bonne qualité coûtent cher. Un tube laissé ouvert ou mal fermé peut être bon à jeter car la peinture sera devenue trop épaisse ou même dure et sèche et par conséquent inutilisable. N'oubliez donc pas de bien fermer vos tubes après chaque séance de peinture.

Autre conseil au cas où le bouchon du tube resterait collé au pas de vis, ce qui arrive souvent : ne forcez pas mais chauffez le bouchon à la flamme d'une allumette ou d'un briquet. Lorsqu'il aura pris un peu de chaleur, il se dévissera sans difficulté.

En dehors des tubes, il existe une autre forme de présentation de la peinture à l'huile : les couleurs fluides. Il s'agit de peintures semi-liquides présentées en petites boîtes et utilisées surtout dans la peinture murale et en illustration. Elles ne sont employées dans la peinture artistique que dans les cas où le peintre veut obtenir des superficies très grandes de couleur uniforme.

La dernière nouveauté, en matière de peinture à l'huile, est le pastel à l'huile. Il s'agit de bâtonnets de couleurs, semi-solides et destinés à être frottés contre le papier ou la toile.

Ils peuvent également être dilués dans de l'essence de térébenthine pour donner des couches de couleurs de la même qualité et de la même texture que la peinture en tube.

62

62

MESURES ET CAPACITÉS DES TUBES À L'HUILE	
MESURE	CAPACITÉ
n° 6	20/25 cm³
n° 9	35/40 cm³
n° 10	60 cm³
n° 11	115/120/150 cm³
n° 13	250 cm³

Plusieurs marques fabriquent des capacités différentes. Les n° 11 et 13 sont réservés au blanc.

63

LES COULEURS À L'HUILE COURAMMENT UTILISÉES PAR LES PROFESSIONNELS

Blanc de titane
* Jaune de cadmium citron
Jaune de cadmium moyen
Ocre jaune
* Terre de Sienne brûlée
Terre d'ombre brûlée
Vermillon clair

Carmin de garance foncé
* Vert permanent
Vert émeraude
Bleu de cobalt foncé
Bleu outremer foncé
Bleu de Prusse
* Noir d'ivoire

Tel est l'assortiment normal des couleurs à l'huile, mais on peut encore supprimer celles qui sont précédées d'un astérisque.

Blanc de titane

*Jaune de cadmium citron

Jaune de cadmium moyen

Ocre jaune

*Terre de Sienne brûlée

Terre d'ombre brûlée

Vermillon clair

Carmin de garance foncé

*Vert permanent

Vert émeraude

Bleu de cobalt foncé

Bleu outremer foncé

Bleu de Prusse

Brosses et couteaux à peindre

Pour peindre à l'huile, les brosses les plus souvent utilisées sont celles en soie de porc. Dure et raide, la soie de porc donne une touche expressive dans laquelle on peut voir les sillons creusés par la pression des poils. C'est un type de brosse indispensable pour peindre à l'huile en général. Pour les petits détails, les brosses les plus appropriées sont celles en poil de martre ou de mangouste. Toutes ces brosses sont fabriquées avec trois sortes d'extrémités :

1) les brosses rondes,
2) les brosses usées bombées (également appelées « langue de chat »),
3) les brosses plates.

Les brosses rondes s'emploient généralement pour tracer des traits, des lignes. Les brosses plates (les plus souvent utilisées) permettent de peindre franchement, à larges touches, ou de faire des traits si on utilise les bords. Les brosses usées et bombées permettent les mêmes usages, mais elles s'accomodent mieux d'un style plus souple. Quant aux brosses en poils de martre, il convient d'en acheter des rondes et des plates.

Après les brosses, les couteaux à peindre sont les outils les plus couramment utilisés. Il s'agit d'un couteau à manche de bois et à lame d'acier flexible et non tranchante. Il en existe différents modèles : à pointe émoussée, en triangle ou en forme de truelle de maçon.

Le couteau est utilisé principalement à deux fins : pour gratter le tableau (ou la palette en fin de séance) et enlever la peinture encore fraîche et pour appliquer de la peinture en empâtement. Que ce soit pour gratter le tableau ou la palette ou pour peindre, il est conseillé d'utiliser les couteaux en forme de truelle. Toutefois, je recommande de disposer au moins des trois types reproduits ici (fig. 65).

64

Enfin, un dernier outil traditionnel dans la peinture à l'huile est l'appuie-main : un bâton de bois surmonté d'une boule et utilisé comme point d'appui pour peindre sur de petites surfaces sans tacher le reste. Cet outil, surtout utile aux peintres qui recherchent un travail très minutieux, n'est pratiquement plus employé aujourd'hui.

65

Fig. 64. Différentes sortes de brosses pour peindre à l'huile. De gauche à droite : deux brosses en poil de mangouste, une ronde et une plate ; deux brosses synthétiques, une ronde et une plate, deux brosses en poil de martre, une ronde et une plate.

Fig. 65. Trois types différents de couteaux à peindre. À gauche, un modèle flexible, tout à fait indiqué pour gratter la peinture de la toile. Au centre, deux modèles en forme de truelle, utiles pour appliquer la couleur mais aussi pour l'enlever de la palette en fin de séance. À droite, la moitié supérieure d'un appuie-main.

Fig. 66. Il est recommandé de disposer d'un ou plusieurs récipients à ouverture large pour disposer les pinceaux propres. Il faut ranger les pinceaux les poils en haut.

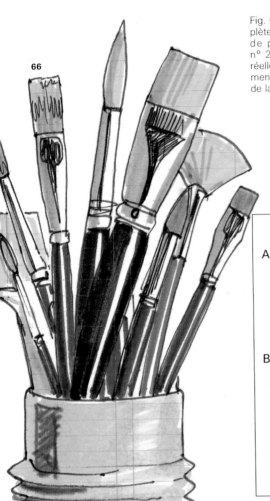

66

Fig. 67. Une série com-
plète de brosses en soie
de porc, du n° 0 au
n° 22. Leur dimension
réelle est approximative-
ment le double de celle
de la photo.

La dimension des brosses pour peindre
à l'huile (grosseur de la touffe de poils
et de la brosse en général) est indiquée
par un chiffre imprimé sur le manche.
Cette numérotation va de 0 à 22 et pro-
gresse de deux en deux (1, 2, 4, 6, 8, 10,
etc.). La photo ci-dessous (fig. 67) montre un assortiment complet de brosses
plates. Il n'est pas nécessaire de disposer de toute la série mais de deux ou trois
de même numéro.

LES BROSSES DU PROFESSIONNEL

A) ASSORTIMENT RÉDUIT :
Une brosse ronde en soie de porc n°4
Une brosse ronde en poil de martre n°4
Une brosse plate en soie de porc n°4
Une brosse plate en soie de porc n°6
Une brosse usée bombée en soie de porc n°8
Une brosse plate en soie de porc n°12

B) ASSORTIMENT COMPLET :
Deux brosses rondes en soie de porc n°4
Deux brosses rondes en poil de martre n°4
Une brosse ronde en poil de martre n°6
Deux brosses plates en soie de porc n°6
Une brosse plate en soie de porc n°8
Une brosse usée bombée en soie de porc n°8
Deux brosses plates en soie de porc n°12
Deux brosses (plate et usée bombée) en soie de porc n°14
Deux brosses plates en soie de porc n°20

67

0 1 2 4 6 8 10 12 14 16 18 20 22

Supports pour peindre à l'huile

Le support généralement utilisé pour peindre à l'huile est la toile de lin ou de coton, montée sur un cadre de bois appelé châssis, mais on emploie également les panneaux de bois, les cartons préparés ou doublés de toile, les cartons simples et le papier.

Les toiles montées sur châssis, les panneaux de bois et les cartons sont classés selon une table de *Mesures internationales de châssis* (fig. 69). Chaque numéro de cette table détermine la mesure et la proportion d'un tableau, en fonction de son thème : *figure, paysage ou marine.* Par exemple, le format d'une figure est plus carré que celui d'un paysage et d'une marine. Il est donc courant de demander à un fournisseur « un châssis paysage n° 15 », sans pour autant que le peintre soit tenu de respecter ce thème.

La toile peut aussi être achetée au mètre, en 70 ou 150 cm de large. Elle peut alors être utilisée pour des peintures murales ou simplement remontée sur de vieux châssis.

Fig. 70 à 72. Proportions des trois formats de châssis pour peindre à l'huile : figure (fig. 70), paysage (fig. 71), marine (fig. 72).

69

N°	Figure	Paysage	Marine
	MESURES INTERNATIONALES DE CHÂSSIS POUR PEINTURE À L'HUILE		
1	22 × 16	22 × 14	22 × 12
2	24 × 19	24 × 16	24 × 14
3	27 × 22	27 × 19	27 × 16
4	33 × 24	33 × 22	33 × 19
5	35 × 27	35 × 24	35 × 22
6	41 × 33	41 × 27	41 × 24
8	46 × 38	46 × 33	46 × 27
10	55 × 46	55 × 38	55 × 33
12	61 × 50	61 × 46	61 × 38
15	65 × 54	65 × 50	65 × 46
20	73 × 60	73 × 54	73 × 50
25	81 × 65	81 × 60	81 × 54
30	92 × 73	92 × 65	92 × 60
40	100 × 81	100 × 73	100 × 65
50	116 × 89	116 × 81	116 × 73
60	130 × 97	130 × 89	130 × 81
80	146 × 114	146 × 97	146 × 90
100	162 × 130	162 × 114	162 × 97
120	195 × 130	195 × 114	195 × 97

70

F (FIGURE)

71

P (PAYSAGE)

72

M (MARINE)

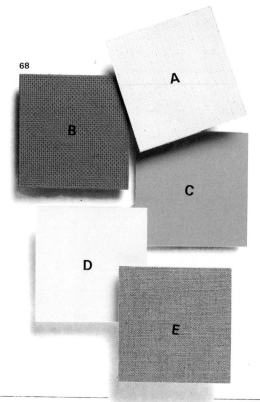

68

A

B

C

D

E

Fig. 68. Quelques-unes des superficies sur lesquelles il est possible de peindre à l'huile : toile de coton imprimée (A), dos d'un panneau de bois de type *tablex* (B), carton gris épais à condition qu'il soit recouvert d'une couche de colle ou de tout autre apprêt (C), carton ou bois recouvert d'un enduit blanc (D), toile de lin sans apprêt (E).

Apprêts et montage d'un châssis

73

74

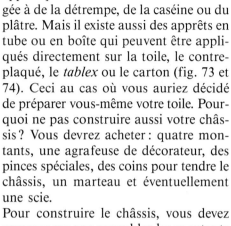

Les toiles sont vendues revêtues d'un apprêt qui est une couche de colle mélangée à de la détrempe, de la caséine ou du plâtre. Mais il existe aussi des apprêts en tube ou en boîte qui peuvent être appliqués directement sur la toile, le contreplaqué, le *tablex* ou le carton (fig. 73 et 74). Ceci au cas où vous auriez décidé de préparer vous-même votre toile. Pourquoi ne pas construire aussi votre châssis ? Vous devrez acheter : quatre montants, une agrafeuse de décorateur, des pinces spéciales, des coins pour tendre le châssis, un marteau et éventuellement une scie.

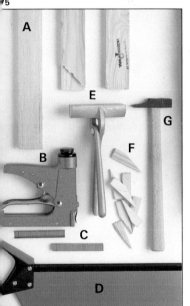
75

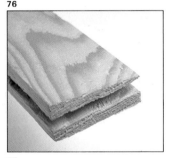
76

Pour construire le châssis, vous devez commencer par assembler les montants en utilisant les rainures qui y auront été pratiquées (fig. 76 et 77). Coupez ensuite la toile à la dimension du châssis, en laissant une marge plus large que l'épaisseur des montants (fig. 78). Fixez la toile par quatre agrafes, une de chaque côté, en tendant la toile avec la pince (fig. 79).

77

78

Agrafez le reste de la toile en la maintenant toujours tendue et en partant des quatre premières agrafes. Les agrafes doivent être espacées de cinq à sept centimètres. Terminez les angles comme le montrent les figures 80 et 81 puis finissez de fixer la toile en la rabattant et en insérant des coins en bois à l'intérieur de l'assemblage (fig. 82).

79

80

81

82

Fig. 73 et 74. On peut préparer sa toile en y appliquant directement un apprêt acheté chez les commerçants spécialisés.

Fig. 75. Le matériel nécessaire à la construction et à l'entoilage d'un châssis : (A) montants du châssis, (B) agrafeuse de décorateur, (C) agrafes, (D) scie (non indispensable), (E) pince pour tendre la toile, (F) coins de bois pour tendre le châssis, (G) marteau.

Fig. 76 à 82. Les différentes étapes de la construction d'un châssis et de la fixation de la toile (lire les explications ci-dessus).

La palette, les godets, les couleurs

Fig. 83 à 85. Les modèles de palette les plus employés. De haut en bas : rectangulaire et ovale en bois, rectangulaire en plastique. Les palettes en plastique offrent l'avantage de se nettoyer très facilement après chaque séance.

Fig. 86. Godets métalliques contenant l'essence de térébenthine ou l'huile de lin et fixés à la palette par une pince.

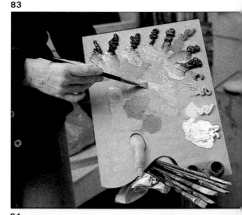

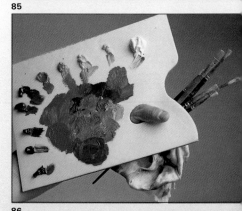

Picasso utilisait comme palette une simple page de journal. (« Parfois, j'avais du mal à jeter la feuille parce qu'il y avait dessus une symphonie fantastique de couleurs. ») Seurat prenait habituellement le couvercle d'une boîte de conserve plutôt grande.

La palette la plus fréquemment utilisée est en bois mais il en existe également en plastique et en papier. Dans ce dernier cas, elles sont plutôt petites et constituées de plusieurs feuilles de papier cellulosique soutenues par un carton, le tout découpé en forme de palette. On peut jeter la première feuille et ainsi s'économiser le nettoyage de la palette mais il faut peindre avec peu de couleur pour ne pas la gaspiller en jetant la feuille. La palette en plastique est très facile à nettoyer et présente peut-être l'avantage de bien mettre les couleurs en évidence sur le blanc du plastique (fig. 85).

Pour ma part, je n'apprécie ni celle en papier, qui n'est pas pratique, ni celle en plastique, trop froide à mon goût. Comme la majorité des artistes, j'utilise la palette en bois. Ronde ou rectangulaire ? Là, c'est affaire de goût et d'habitude. Toutefois, il paraît normal de peindre en plein air avec une palette rectangulaire, celle de la boîte de couleurs, et peut-être de réserver la ronde pour l'atelier.

Enfin, il existe une dernière option qu'utilisent de nombreux artistes professionnels pour peindre en atelier : la palette table. Il s'agit d'une tablette, plutôt carrée, posée sur une table ou un meuble auxiliaire à roulettes dans lequel on range les tubes de couleur, les pinceaux, les spatules, les chiffons, etc. (Voir page suivante, figure 87, la palette du peintre Francesc Crespo.)

Les godets, généralement métalliques, sont des petits récipients montés sur une pince qui permet de les fixer à la palette et de garder à portée de main l'essence de térébenthine et l'huile de lin, ou une solution mixte servant de diluant. Parfois, il n'y a qu'un seul godet pour ceux qui n'utilisent que l'essence de térébenthine comme diluant.

Enfin, la figure 88 montre la manière de tenir une palette. La main gauche tient la palette et les pinceaux tandis que la droite mélange les couleurs et peint, les godets étant fixés à l'endroit le plus accessible. Remarquez que sur cette palette comme sur celles de la page précédente, les couleurs conservent le même ordre : le blanc dans la partie supérieure droite puis, en allant vers la gauche, le jaune, l'ocre, le rouge, etc. Les couleurs pourraient être disposées autrement mais il est bon de conserver toujours le même ordre pour « trouver » facilement la couleur voulue en peignant.

Fig. 87. Une table palette, meuble auxiliaire permettant de ranger le matériel et dont la partie supérieure sert de palette.

Fig. 88. La manière correcte de tenir la palette, les pinceaux et le chiffon. La disposition des couleurs est celle que l'on rencontre le plus souvent.

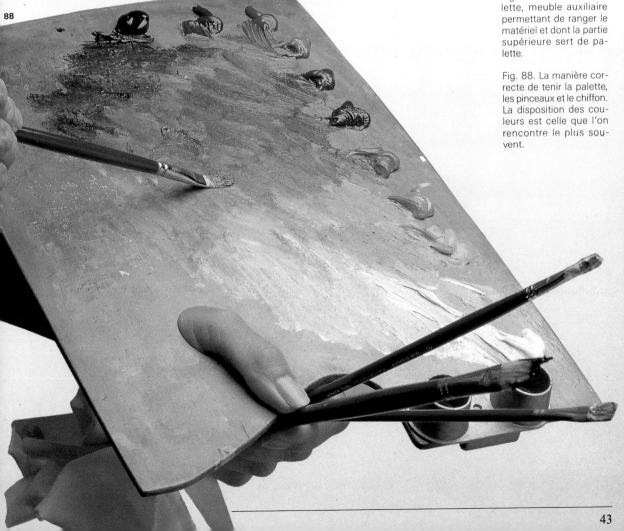

Meubles auxiliaires et chevalets d'atelier

Quelques meubles sont nécessaires dans le studio ou l'atelier de l'artiste : une table auxiliaire (fig. 89), une chaise réglable, une table de dessin, un placard, des livres d'art et de consultation, des cartons à dessin et d'autres objets qui ne sont peut-être pas aussi nécessaires mais en tout cas utiles, comme un appareil pour écouter de la musique et des rayonnages pour ranger les tableaux. L'artiste Marta Durán a fait installer dans son studio des rayonnages (fig. 90) avec des séparations en bois (A) pour ranger, sans qu'ils se touchent et donc sans s'abîmer, quantité de toiles et de cadres.

Le peintre doit aussi avoir un chevalet. Il peut s'agir d'un chevalet de campagne, c'est-à-dire pliant, mais il vaut mieux peindre sur un chevalet d'atelier. Le chevalet d'atelier le plus courant est celui dit « de cours » (fig. 91), équipé d'une pièce réglable et d'un plateau (A et B) pour soutenir et fixer la toile, ainsi que d'une crémaillère (C) pour régler sa hauteur à volonté.

Ces caractéristiques se retrouvent dans les chevalets d'atelier plus luxueux, donc plus chers mais aussi plus solides et fonctionnels. Sur le modèle de la figure 92, la toile est maintenue en position verticale. Le double plateau (A) permet, en plus de soutenir la toile, de disposer d'une sorte d'étagère où poser pinceaux, tubes de couleur, fusains, chiffons, etc. Enfin, ses roues permettent de le déplacer facilement avec la toile. C'est le modèle le plus utilisé par les artistes professionnels.

Le modèle de la figure 93 est sans conteste le meilleur. Un peu plus grand et plus solide que le précédent, il présente deux avantages. Le premier est que la pièce supérieure (A) peut monter et descendre librement alors que dans le modèle précédent, elle ne peut descendre au-dessous du montant horizontal (a'), ce qui empêche de fixer les petites ou moyennes toiles. Le second avantage est que la toile peut s'incliner vers l'avant pour éviter les reflets.

Fig. 89. Un meuble auxiliaire est indispensable pour poser et ranger la palette, les pinceaux, les couleurs et les autres accessoires. Il peut être comme celui-ci, comme un petit placard ou même comme une table de nuit et sera d'autant plus pratique qu'il aura des roulettes.

Fig. 90. Rayonnage pour ranger les toiles dans le studio du peintre Marta Durán. Les séparations en bois évitent aux cadres de se détériorer.

Fig. 91. Le chevalet de cours est le plus courant. La toile y est maintenue en position légèrement inclinée grâce aux pièces A et B et peut descendre ou monter en manœuvrant la pièce B le long de la crémaillère (C).

89

90

91

A

B

C

92

a'

A

93

A

94

Fig. 92. Le chevalet d'atelier le plus souvent utilisé. Il se compose d'un double plateau (A) qui peut glisser verticalement vers le haut ou le bas le long du montant central.

Fig. 93. Le modèle le plus solide et le plus fonctionnel de chevalet d'atelier. Il offre l'avantage de pouvoir incliner les toiles vers l'avant, pour éviter les reflets, grâce à la pièce supérieure A, qui monte et descend librement le long du montant central sans buter sur la pièce a' comme c'est le cas sur le modèle précédent.

Fig. 94. Chaise d'atelier pivotante et réglable en hauteur.

Chevalets de campagne, boîtes de peinture et porte-châssis

Le chevalet de campagne classique comprend un trépied de bois muni d'articulations qui permettent de le plier pour en faciliter le transport. Par ailleurs, il existe depuis plus de cent cinquante ans l'ensemble boîte-chevalet (fig. 96 et 97), souvent utilisé par les artistes professionnels. Très fonctionnel, il possède de nombreuses qualités : solide et sûr une fois monté, d'une hauteur suffisante pour peindre debout, sur une toile pouvant aller jusqu'au n° 30 (92×65 cm), l'ensemble peut descendre ou remonter en réglant les pieds. La boîte de peinture et de pinceaux peut servir de support à la palette en la laissant entrouverte. Cette boîte est munie de compartiments pour les tubes de peinture, les pinceaux, une ou deux spatules et même un petit flacon pour l'essence de térébenthine. Une fois plié (fig. 96 A et 97 A), ce chevalet occupe très peu d'espace, ne pèse pas très lourd et se transporte facilement.

Fig. 95 et 95 A. Le porte-châssis permet de transporter deux toiles fraîchement peintes. Il existe également sur le marché des petites pièces qui permettent de maintenir les toiles séparées pendant le transport (95 A) après une séance de peinture.

Fig. 96 et 97. Deux versions différentes de la boîte-chevalet, un outil idéal pour travailler en plein air. Il permet de peindre sur des formats allant jusqu'au n° 30 (90×65 cm). Il est solide, sûr et facilement transportable une fois plié.

La figure 95 montre deux toiles montées sur châssis, de dimensions identiques et maintenues sans se toucher par un porte-châssis. Celui-ci se compose de deux jeux de pièces, celui de la partie supérieure étant muni d'une anse de cuir, qui permettent de transporter deux toiles sans qu'elles se touchent. On peut aussi obtenir le même résultat avec quatre petites pièces de plastique (fig. 95 A) clouées entre deux toiles.

Enfin, les figures 98 et 99 montrent deux boîtes, l'une scolaire et l'autre professionnelle, contenant des tubes de peinture, des pinceaux, des diluants et une palette.

Remarquez, dans la boîte professionnelle, les deux montants de bois placés de chaque côté du couvercle (fig. 99 A) ; ils permettent de protéger des cartons n° 4 ou 5 (selon la dimension de la boîte) fraîchement peints en les introduisant dans les rainures, l'un face au peintre, l'autre en sens inverse.

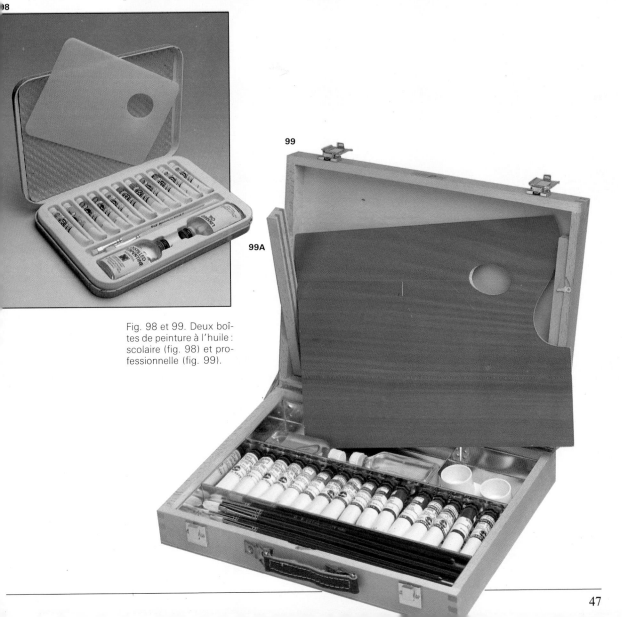

Fig. 98 et 99. Deux boîtes de peinture à l'huile : scolaire (fig. 98) et professionnelle (fig. 99).

Vous voilà prêt pour peindre à l'huile.
Nous procéderons par étape. Dans la
première, vous peindrez avec une seule
couleur et du blanc, en travaillant sur des
formes très simples : un cube et une sphère.
Ensuite, toujours avec une seule couleur et
du blanc, nous compliquerons un peu la
forme tout en gardant un sujet simple : une
cruche et un bol. Au cours de cette étape,
vous entrerez physiquement en contact avec
la peinture à l'huile, les brosses, les
diluants. Puis vous peindrez avec deux
couleurs, plus le blanc, pour réaliser une
nature morte dont vous voyez un détail ci-
contre. Enfin, vous utiliserez toutes les
couleurs, mais nous entrons déjà là dans le
chapitre suivant.

PREMIERS EXERCICES
DE PEINTURE À L'HUILE

Peindre avec une seule couleur et du blanc

Vous allez maintenant peindre à l'huile. D'abord avec une seule couleur, le *bleu outremer* ou la *terre d'ombre brûlée*, et le *blanc*. Ensuite, vous utiliserez deux couleurs, puis trois, et enfin toutes. Nous partons du principe que vous n'avez jamais pratiqué la peinture à l'huile et que vous ignorez donc tout de ce qui a trait à la fluidité, la densité, le pouvoir couvrant et la siccativité des couleurs ; que vous ne savez rien des possibilités qui découlent de cette densité et de ce pouvoir couvrant grâce auxquels l'artiste peut dissimuler, recouvrir, retoucher et dessiner tout en peignant. Nous supposons aussi que vous ne connaissez rien des avantages qu'offre cette densité au service d'une brosse bien menée, à savoir la possibilité de dégrader, de modeler, de représenter et de peindre la forme avec cette faculté de synthèse que nous admirons tant chez les grands maîtres. Je crois en effet que cette partie d'introduction au métier n'a pas à être mêlée au problème de la peinture proprement dite, c'est-à-dire au choix et au mélange des couleurs.

Commençons donc à peindre, en voyant d'abord les matériaux dont vous avez besoin pour ce premier exercice pratique (voir encadré ci-dessous). Je ne mentionne pas le chevalet, qui va de soi. Vous pouvez le remplacer par une chaise et un panneau de bois sur lequel vous pourrez punaiser votre support, carton ou papier à dessin épais. Il vous suffira alors d'appuyer le panneau contre le dossier de la chaise, de poser la palette sur le siège et de prendre une autre chaise ou un tabouret pour vous asseoir, comme le montre la figure 101.

Avant de commencer à peindre, voyons encore comment il faut tenir la palette, les brosses et le chiffon dans la main gauche, en laissant libre la main droite qui va peindre. Prenez les brosses en faisant en sorte que les viroles et les touffes de poils soient au même niveau (fig. 102). Prenez ensuite le chiffon et la palette (fig. 103).

Regardez sur la figure 104 la manière habituelle de tenir la brosse (comme pour écrire). Vous constatez que les brosses ont un manche plus long que celui des pin-

Fig. 100. (Page précédente.) José M. Parramón, *Nature morte* (détail). Collection particulière, Barcelone.

Fig. 101. Un chaise et un panneau en bois peuvent faire office de chevalet en attendant d'en avoir un. Il suffira de punaiser le papier ou le carton sur le panneau.

MATÉRIAUX NÉCESSAIRES À LA RÉALISATION DE CES EXERCICES

Couleurs 1er exercice	Terre d'ombre brûlée Blanc de titane
Couleurs 2e exercice	Bleu outremer Blanc de titane
Brosses en soie de porc	Usée bombée n°12 Plate n° 8 Ronde n° 6
Palette	(Elle peut être remplacée par du papier épais, du carton, etc.)
Diluants	Essence de térébenthine
Godets	Ou un récipient de petite taille
Support	Papier à dessin de bonne qualité et épais, ou carton
Crayons, punaises, chiffons, papier journal	

101

ceaux pour l'aquarelle. En les tenant par le milieu ou par le tiers supérieur, le poignet gagne en mobilité, ce qui donne une touche plus spontanée.

En ce qui concerne la position, remarquez sur la figure 105 que l'artiste professionnel peint généralement debout ou à demi assis, à une distance de la toile correspondant au bras tendu, afin de voir toute la surface de la toile à la fois. Effectivement, pour peindre à l'huile une toile de dimensions moyennes — sans même parler des grandes dimensions — l'artiste ne se place jamais au-dessus de son travail, comme pour une miniature. Souvenez-vous de cette règle :

La peinture à l'huile exige une certaine distance entre l'artiste et le tableau.

La peinture à l'huile requiert, plus que toute autre technique, une vision générale du tableau pendant son exécution ; il faut voir et peindre tout à la fois, passer d'une partie à l'autre sans s'arrêter sur l'une d'elles en particulier. D'autre part, cette plus grande distance prédispose à une manière de peindre, à une facture plus libre, plus personnelle, plus impressionniste.

Fig. 102. La bonne manière de tenir les brosses avec la main qui prendra aussi la palette et le chiffon : légèrement séparées les unes des autres et les touffes de poil approximativement à la même hauteur.

Fig. 103. La palette doit reposer sur le poignet et l'avant-bras, dans une position qui ne soit pas forcée.

Fig. 104. La manière la plus habituelle de tenir la brosse : par le milieu ou le tiers supérieur du manche.

Fig. 105. La distance à laquelle le peintre doit se tenir de la toile est approximativement celle de la longueur de son bras tendu. Cette position permet généralement de voir toute la superficie du tableau en peignant.

102

103

104

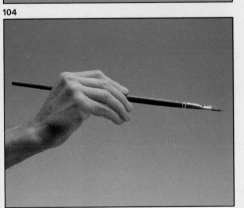

105

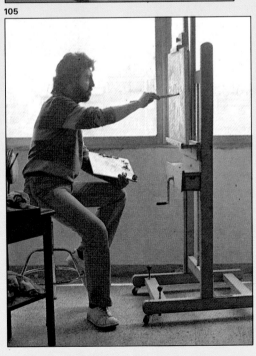

Les différentes manières de tenir la brosse

À la manière courante (fig. 106), c'est-à-dire comme on tient un crayon ou un stylo, mais un peu plus vers l'extrémité du manche. Cette manière permet de peindre dans toutes les directions : vers le haut ou le bas, à la verticale ou en diagonale, mais aussi à l'horizontale, en faisant tourner la brosse sur elle-même et en allant de gauche à droite et vice versa. Observez que dans cette position la brosse et la toile forment un angle droit, de telle sorte que, sans écraser ni plier la touffe de poils, vous pouvez peindre un point, une ligne ou un trait fin. Mais si vous écrasez et pliez les poils, vous obtiendrez une touche plus large, plus concrète, plus énergique.

Dans la position de la figure 107, le résultat est différent. La brosse travaille de côté, en formant un angle oblique avec la toile. La touche est alors plus « effleurée », plus plane, moins énergique.

Avec le manche de la brosse à l'intérieur de la main (fig. 108 et 109). (Il faut alors la tenir plus près de la virole.) Cette position donne une manière de peindre plus large, plus libre, ennemie des petits détails. La pointe de la brosse peut rester parfaitement droite, sans se plier ni s'écraser : la couleur est alors « déposée » sur une zone déjà peinte pour réaliser un tracé clair sur une couleur foncée. Cette manière permet aussi, avec une brosse propre, de fondre un contour trop précis, une limite trop dure.

Je vous demande de travailler ces différentes manières avec une brosse n° 12 sur un papier épais ou un carton, d'essayer, d'expérimenter, de peindre des points, des traits, des touches larges, fines, douces,

Fig. 106 et 107. La brosse peut se tenir comme un crayon ou un stylo (fig. 106), ce qui permet de la guider dans toutes les directions, simplement en la faisant tourner sur elle-même (fig. 107).

Fig. 108 et 109. En tenant le manche à l'intérieur de la main (fig. 108), on peint de façon plus aplatie car la touffe de poils peut s'écraser complètement contre la toile (fig. 109), ce qui permet d'obtenir des touches verticales et parallèles.

106

107

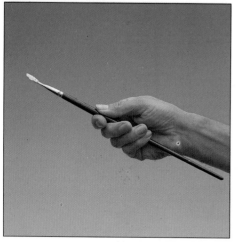

108

109

Dessiner un cube avant de le peindre

énergiques, de balayer à la verticale, en diagonale, vers le haut, vers le bas ... Rien ni personne ne peut mieux vous expliquer le « comment faire » que l'expérimentation personnelle.

Commençons donc par peindre un cube. Mais auparavant, assurons-nous que nous savons le dessiner car, au moment de le peindre, nous devrons le faire directement, sans dessin préalable. Voici un cube (fig. 110) que j'ai dessiné vu de haut et en position oblique, ce qui suppose une *perspective oblique*.

Si vous prolongez les lignes obliques A, B et C, vous voyez qu'elles se réunissent en un *point de fuite 1* placé sur la *ligne*

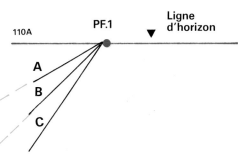

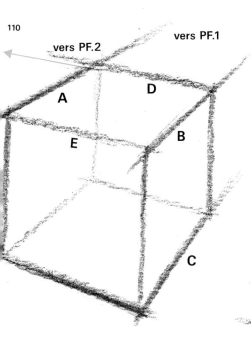

C'est tout. Vous n'avez besoin de rien de plus pour recopier le cube que j'ai construit. Dessinez-le avec un crayon tendre (2B, par exemple) sur n'importe quel papier, seulement pour apprendre et pouvoir ensuite en peindre un autre de mémoire. Apprenez également à dessiner l'ombre projetée par le cube (fig. 111).

Fig. 110. Un cube en perspective oblique. Les lignes A, B et C se rejoignent au point de fuite 1, situé sur la ligne d'horizon. Les lignes D, E et F font de même mais sur le point de fuite 2.

Fig. 111. Pour obtenir l'ombre du cube, il suffit de tracer des lignes parallèles à partir des coins du cube.

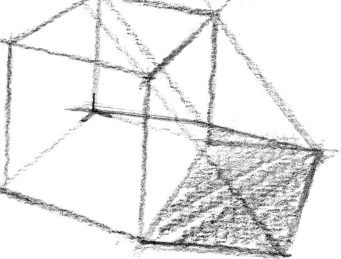

d'horizon (voir fig. 110 A), une ligne qui, comme vous le savez, se trouve à la hauteur des yeux en regardant droit devant vous. Et si vous prolongez les lignes D, E et F, vous verrez qu'elles se réunissent également à l'horizon, en un autre point de fuite, PF 2.

Peindre un cube avec du bleu outremer et du blanc

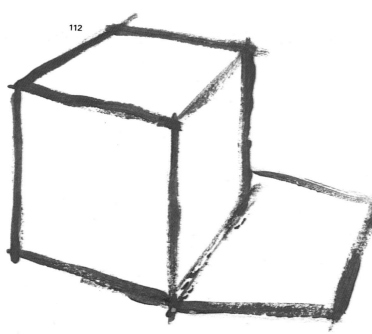

Vous allez peindre le cube que vous voyez sur ces illustrations en utilisant les couleurs mentionnées et le matériel décrit à la page 50. Versez un peu d'essence de térébenthine dans votre petit récipient, mouillez la brosse ronde en soie de porc n° 6 et diluez un peu de bleu outremer sur votre palette. Mais, attention : la quantité de térébenthine doit juste permettre d'obtenir une pâte fluide, et non liquide. Dessinez le cube tel que vous le voyez figure 112. De mémoire, bien sûr, sans dessin préalable. Vous devez savoir et pouvoir le faire. Ingres disait : « On peint comme on dessine », et je me permets d'ajouter que lorsque l'on peint, on dessine inévitablement.

Regardez maintenant (fig. 113) la deuxième phase de l'exercice. Avec la brosse plate n° 8 et le bleu outremer épais, non dilué dans la térébenthine, peignez la partie foncée qui correspond à

Fig. 112. Dessinez d'abord les contours du cube et de son ombre de la pointe du pinceau, avec une peinture légèrement diluée dans l'essence de térébenthine.

Fig. 113. Avec une brosse plate n° 8 et du bleu outremer mélangé à du blanc dans des proportions qui varieront en fonction des ombres et de la lumière, recouvrez les différentes faces du cube.

l'ombre projetée par le cube et cette zone foncée qui limite le côté illuminé du cube. Avec la même brosse et en éclaircissant un peu le bleu avec du blanc, peignez le côté du cube qui se trouve dans l'ombre. Ajoutez encore un peu de blanc pour peindre la partie frontale du cube. Vous pouvez utiliser beaucoup de peinture, travailler avec une pâte épaisse. Enfin, brossez le fond avec la même couleur que le dernier plan du cube.

Pour terminer, vous suivez le modèle de la figure 114. Vous constatez qu'il ne vous reste plus qu'à peindre (avec une brosse ronde n° 6 pour qu'elle puisse pénétrer dans les angles) la face supérieure du cube, avec un blanc légèrement teinté de bleu (une pointe seulement), et à retoucher le fond. Observez à ce propos que je l'ai reconstruit, en supprimant certains contours du cube, en repeignant le plan frontal et latéral, en un mot en ajustant la forme et les tons. Faites de même. Deux conseils avant de finir : un de type mécanique, l'autre d'ordre artistique. Le premier : nettoyez vos brosses avec un chiffon, surtout si vous devez passer d'un bleu foncé à un bleu clair. Le second : quand vous peignez, étudiez la direction du coup de pinceau et remarquez que, sans vous astreindre à un rythme et une direction mathématiques, celle-ci répond en général à l'idée de saisir, d'expliquer la forme. Ainsi, dans le cas du cube, les coups de pinceaux doivent tenir compte des angles et suivre des rythmes verticaux, horizontaux et obliques.

Fig. 114. Peignez le fond et la face supérieure avec la brosse n° 12, et la brosse ronde n° 6 pour préciser les arêtes et les angles du cube.

114

Peindre une sphère à l'huile

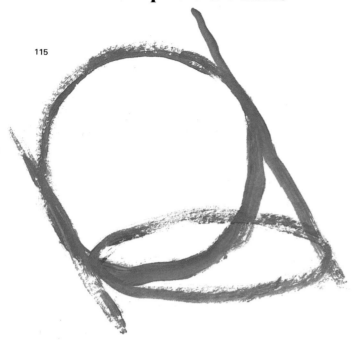

115

Ce que nous avons dit à propos du cube vaut pratiquement pour la sphère. En effet, vous devez d'abord construire la sphère, puis son ombre portée en traçant une ellipse au bas du cercle (fig. 115). Peignez avec la brosse ronde n° 6 et le bleu outremer, en le diluant avec très peu d'essence de térébenthine. Sachez que lorsque la couleur coule sur le papier en formant des taches graisseuses, c'est parce que vous avez employé trop de térébenthine.

Ensuite, avec la brosse n° 8 et le bleu outremer, sans le mélanger encore avec le blanc, peignez l'ombre portée de la sphère et son ombre propre, cette dernière à l'aide d'une brosse presque sèche, en ébauchant le modelé avec ces frottis que vous pouvez voir sur la figure 116. Peignez alors le fond avec la brosse n° 12 et de la peinture blanche mélangée à une pointe de bleu outremer. Faites-le avec énergie, en chargeant bien la brosse de peinture.

Fig. 115. Toujours avec la brosse n° 6 et le bleu outremer dilué avec de la térébenthine, il s'agit maintenant de peindre une sphère. Commençons par tracer une circonférence avec une ellipse à sa base, comme nous l'avons fait pour obtenir l'ombre portée du cube.

Fig. 116. Sans mélanger le bleu outremer avec du blanc et en prenant la brosse n° 8, peignez l'ombre propre de la sphère et son ombre portée. Il vaut mieux peindre le fond avec la brosse n° 12 et avec le blanc auquel on aura ajouté une pointe de bleu outremer.

116

Fig. 117. La sphère doit être modelée avec une brosse n° 8, en commençant par les tons moyens. Les coups de pinceau, circulaires, doivent permettre de fondre ces tons moyens avec le bleu foncé de la base de la sphère et le bleu plus clair de la partie supérieure. La lumière reflétée dans la partie inférieure droite doit être donnée par un ton moyen. La direction des touches doit correspondre à la forme de la sphère.

Enfin, en vous guidant sur la figure 117, modelez la sphère avec la brosse n° 8. D'abord avec un bleu moyen, en peignant en cercles la zone de ton moyen qui enveloppe et enferme la partie la plus lumineuse ; ensuite en fondant ce ton bleu moyen avec le bleu foncé de l'ombre propre. Poursuivez le modelé en peignant avec du blanc, avec la brosse ronde n° 6, la partie éclairée et le point le plus lumineux de la sphère.

Mais attention : ne continuez pas le modelé, ne vous acharnez pas sur lui jusqu'à le terminer sans voir ce qui se passe autour ! Revenez au fond. Observez comment, sur cette même figure 117, la peinture du fond couvre, profile et redessine le contour de la sphère.

Maintenant, revenez à la sphère avec des pinceaux propres, tracez ce trait de lumière réfléchie dans la partie inférieure droite. Appliquez du blanc pur au point central le plus lumineux et, en frottant à peine, étendez-le jusqu'à le fondre avec le bleu moyen de la zone intermédiaire. N'oubliez pas la direction des coups de pinceau qui doit suivre et expliquer la forme du modèle, en courbe dans ce cas. En fin d'exercice, votre sphère devra présenter un aspect semblable à celui qui est reproduit sur cette page (fig. 117). Remarquez la transition de la lumière à l'ombre à l'intérieur de la sphère : douce et continue, elle a été obtenue par des touches courbes qui s'adaptent à la forme de l'objet.

Remarquez également le bord clair — produit de la lumière réfléchie par la table — à la limite inférieure de la partie sombre de la sphère. Ce reflet est important pour obtenir une représentation convaincante.

117

Peindre une cruche et un bol avec une seule couleur

118

119

Fig. 118. Dessinez d'abord le modèle sur un papier à part, au crayon, jusqu'à vous familiariser avec les formes et le jeu des ombres et des lumières.

Fig. 119. Les objets utilisés comme modèle pour cet exercice : une cruche et un bol en argile cuite.

Pour cette exercice, nous prendrons comme modèle une cruche, un pot, une marmite ou n'importe quel récipient en terre cuite — pour la couleur — et un bol ou une jatte, également en terre cuite (fig. 119). J'espère qu'il vous sera facile de trouver ce modèle chez vous ou dans le commerce.

Vous voyez que c'est un exercice relativement facile puisque les deux objets sont de forme simple et de structure symétrique. Il n'y a donc pas de problème de dessin, ni de couleur du reste puisque vous n'en utiliserez qu'une seule, la terre d'ombre brûlée, pour rester le plus près possible de la couleur du modèle. Il s'agit essentiellement de poursuivre la pratique du métier, de manier la brosse, de se familiariser avec la fluidité ou l'onctuosité de la matière.

120

Comme pour l'exercice précédent, commencez par dessiner le modèle sur un papier à part. Faites-le plusieurs fois, en vous basant sur le style que j'ai moi-même adopté ici (fig. 118) et en insistant sur le traité du modèle, des ombres et des lumières.

Une fois que vous vous sentez prêt à peindre, prenez un papier à dessin épais ou un carton d'un format d'environ 30×33 cm. Avec une brosse ronde n° 4 et avec la terre d'ombre brûlée, à peine diluée dans de l'essence de térébenthine et sans blanc, commencez à tracer les contours complets de la cruche et du bol. Poursuivez votre ébauche, comme le montre la figure 120, que j'ai réalisée avec la brosse n° 12 et une couleur un peu plus épaisse, pratiquement comme celle qui sort du tube, et sans encore la mélanger

avec du blanc. Remarquez que, pour la cruche, j'ai traité le passage de l'ombre à la lumière avec une brosse pratiquement sèche et des touches allant de droite à gauche, et vice versa pour la lumière réfléchie du bord droit. J'ai essayé ici de parvenir à un résultat qui pourrait rester tel quel, à l'état d'ébauche, comme le conseillait Ingres quand il disait : « Le tableau doit avancer tout à la fois, en offrant progressivement un fini d'ébauche, un état de note terminée et un achèvement final de tableau définitif. »

Fig. 120. Avec la terre d'ombre brûlée et la brosse n° 4, commencez à dessiner sur un papier épais ou un carton les contours et les ombres du modèle.

Deuxième et troisième stade

Au cours de cette deuxième étape, il s'agit de « barbouiller » le modèle à grands traits, en remplissant rapidement de couleur les formes et le fond pour faire disparaître le blanc du papier qui pourrait créer de faux contrastes, mais tout en donnant la sensation de volume. Tant pis si vous « dépassez », je veux dire si deux ou trois coups de pinceaux vous échappent, à condition toutefois de ne pas perdre la structure initiale. Tracez, comme je l'ai fait, une ligne indiquant la fin d'un plan pour créer l'idée d'une table sur laquelle sont posés les deux objets. Remplissez rapidement de tons différents les zones qui donnent leur volume aux deux formes, en réservant les blancs des points de lumière, et brossez les ombres portées. Vous y êtes ? Alors, passons au troisième et dernier stade.

Dernier stade (fig. 122)

Il conviendrait maintenant de faire une pause, ou même de reporter cette séance à plus tard. En fait, attendre trois ou quatre heures serait suffisant — voire nécessaire — pour que vous puissiez avoir une meilleure vision de votre travail et décider de ce qu'il faut faire et comment il faut le faire pour obtenir un meilleur résultat. Pendant ce temps, la peinture aurait pu sécher un peu, sinon totalement du moins suffisamment (ce qui est le cas lorsqu'on peint sur du papier à dessin ou

Fig. 121. Vous devez maintenant « barbouiller » le dessin en respectant approximativement toutes les valeurs d'ombre et de lumière et en utilisant le blanc pour éclaircir les tons.

Fig. 122. Dernier stade : la forme des objets est structurée, les valeurs sont bien réparties, fondues les unes dans les autres et elles correspondent, comme les tons, à ceux du modèle.

du carton) pour offrir un certain « mordant », un état presque sec idéal pour dessiner et repeindre sur le travail déjà fait.

À ce dernier stade, pensez que « dépasser » peut être nécessaire dans certains cas pour ensuite pouvoir corriger une forme, une limite, comme je l'ai fait moi-même sur le bord du col de la cruche (fig. 121). Ne peignez pas encore les points lumineux : laissez-les pour la fin, lorsque vous serez sûr de ne plus avoir à retoucher quoi que ce soit. Peignez maintenant le corps des deux récipients, l'extérieur pour la cruche et l'intérieur pour le bol. Mais attention : ne travaillez pas avec la mièvrerie du mauvais amateur, en passant

et repassant sur les dégradés jusqu'à ce que tout soit bien léché, bien « pompier » ! Je vous le demande : à partir de maintenant et pour toujours, laissez-vous aller lorsque vous peignez et fuyez les finitions parfaites. (Pour Picasso, le fini était significatif de mort.)

Et en avant pour le fond ! Un fond, y compris la surface de la table, pour lequel vous devez vous sentir libre de travailler à pleine pâte, avec une brosse très chargée de peinture non diluée, telle qu'elle sort du tube. Lancez-vous sans retenue ! Une dernière chose à ne pas oublier : surveillez la direction des coups de pinceau, en essayant toujours de saisir, d'expliquer la forme. Et maintenant, amusez-vous !

Peindre une nature morte avec deux couleurs et du blanc

Vous allez maintenant peindre avec deux couleurs, sans compter le blanc : le *rouge anglais foncé* et le *vert émeraude*. Vous ajouterez aussi deux brosses plates en soie de porc, n° 4 et n° 14, à celles des exercices précédents. Vous aurez aussi besoin de fusain pour le dessin initial et d'un flacon de fixatif en aérosol. Le reste du matériel reste le même que pour l'exercice précédent.

Comme vous pouvez le voir sur l'échantillonnage de couleurs ci-dessous (fig. 124), vous pouvez obtenir, avec ces deux couleurs et le blanc, une gamme qui va d'un rouge un peu sale à un rose clair, d'un vert intense à un vert clair, en passant par des tons noirs et des grisâtres chauds (tirant sur le rouge) ou froids (tirant sur le vert). Je vous conseille de mettre sur votre palette ces deux couleurs et du blanc et de faire des essais en peignant sur un papier épais.

Fig. 123. Ma palette avec quelques mélanges des trois couleurs que j'utiliserai pour l'exercice suivant : blanc de titane, rouge anglais foncé et vert émeraude. Les brosses sont celles de l'exercice précédent, en y ajoutant deux brosses plates en soie de porc n° 4 et 14.

123

124

Fig. 124. Avant de commencer à peindre, je vous conseille de faire des essais sur un papier épais. Ci-contre, quelques-unes des couleurs que l'on peut obtenir en mélangeant les trois couleurs choisies.

125

126

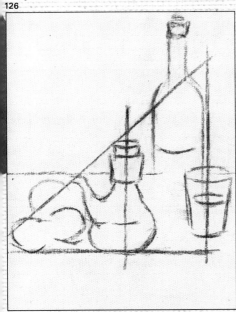

Comme vous pouvez le voir, j'ai ajouté un tableau au fond (fig. 127) pour rompre la trop grande *unité*. Nous reviendrons dans les pages suivantes sur cet art de composer.

Sur un morceau de toile ou un carton d'environ 37×32 cm, commencez à dessiner au fusain. Pour cela, rien de mieux que de dessiner d'abord un triangle et d'esquisser ensuite les formes à l'intérieur (fig. 126).

En précisant ensuite les formes, les lumières et les ombres, j'ai recréé toutes les valeurs, y compris les points de lumière en les travaillant à la gomme, comme le montre la figure 127. Remarquez surtout que j'ai fini par trop noircir l'ensemble. C'est un mauvais exemple, je le reconnais : il n'y a pratiquement pas de différences de tons, mais je m'en suis rendu compte une fois que j'avais fixé le dessin. Tirez-en la leçon !

Fig. 125. Pour composer ma nature morte, j'ai choisi des objets dans les tons de la gamme obtenue avec les trois couleurs de ma palette.

Fig. 126. La composition de cette nature morte respecte la règle platonicienne de l'unité dans la diversité des éléments d'un tableau. Observez que malgré leur diversité les éléments peuvent être assimilés à un triangle.

Fig. 127. La nature morte, avec toutes ses ombres et ses lumières, peut-être un peu trop marquées. Quoi qu'il en soit, n'oubliez jamais de fixer l'esquisse préalable avec un fixatif en aérosol afin d'éviter que le fusain ne tache la couleur.

127

Nous allons maintenant réaliser un tableau avec ces deux couleurs.

Voici le modèle (fig. 125). Essayez, comme ici, de composer des éléments dont les tons soient proches de ceux que l'on peut obtenir en mélangeant les deux couleurs retenues. Même si les objets que vous avez choisis ne correspondent pas aux miens, je vous recommande de réaliser un type de composition semblable à celui-ci, en forme de triangle, qui respecte cette règle classique de Platon lorsqu'il disait que « composer, c'est trouver l'unité à l'intérieur de la variété ».

Peindre avec deux couleurs. Deuxième et troisième stade

Si vous connaissez déjà les couleurs que vous pouvez obtenir avec le *rouge anglais foncé*, le *vert émeraude* et le *blanc*, vous êtes sur la bonne voie pour retrouver les couleurs et les nuances que vous voyez sur ma nature morte : la tomate et le vin sont rouges, la bouteille et l'huilier sont verts, les oignons sont gris, mélange de rouge, de vert ... et de blanc. Ce mélange de rouge et de vert, dans des proportions plus ou moins grandes, avec plus ou moins de blanc — ou sans blanc dans les tons les plus foncés — est une constante pour tous les éléments de ce tableau.

Dans les pages suivantes, quand vous peindrez avec toutes les couleurs, nous verrons que le rouge et le vert sont des *couleurs complémentaires* et que le mélange de deux complémentaires donne du noir. Évidemment, lorsque nous mélangeons ce noir avec du blanc, nous avons un gris. De la même façon, si le noir a été obtenu avec davantage de rouge que de vert, il présente une tendance rougeâtre, comme le vin de la bouteille ou les ombres de celui du verre. Au contraire, lorsque le vert domine, le noir est verdâtre comme l'huile du flacon. Pour tous les volumes et toutes les couleurs, celle de l'ombre est toujours constituée de bleu et de la couleur complémentaire de celle de l'objet à peindre. Par exemple, si la tomate est rouge, la couleur de son ombre comportera du vert (complémentaire du rouge). Le gris du fond, pour le mur, n'est rien d'autre que le mélange des deux couleurs en proportion pratiquement égale — peut-être légèrement plus de vert — et du blanc.

Je ne pense pas qu'il soit nécessaire d'apporter d'autres commentaires pour que vous puissiez peindre votre nature morte et que vous commenciez à acquérir, en plus de la technique de la peinture à l'huile, une connaissance pratique du mélange des couleurs.

Fig. 128. Dans un premier stade, la toile apparaît tachée de nombreux tons différents, obtenus en mélangeant les trois couleurs. Essayez d'obtenir, dès le départ, la plus grande richesse de tons possible afin d'éviter la monotonie dans la couleur.

Fig. 129. C'est le moment d'unifier certaines couleurs et de travailler les passages de l'ombre à la lumière, en rehaussant et en précisant les limites entre les objets.

128

129

Fig. 130. Voilà le résultat. Pour une peinture à trois couleurs, elle possède une richesse et une variété de tons considérables. Pourquoi ne pas essayer, vous aussi, avec des objets ressemblants et les mêmes couleurs ?

Nettoyage et conservation des brosses

Vous venez de terminer de peindre et, à moins de commencer aujourd'hui même un autre tableau, il faut absolument laver vos brosses. Elles sont chères et il faut les nettoyer, les entretenir, ne serait-ce que parce qu'une vieille brosse en bon état peint mieux qu'une neuve.

Pour retarder ce travail franchement ennuyeux, le professionnel décide parfois d'enlever la peinture des brosses avec des morceaux de papier journal et avec un chiffon, en laissant ensuite les brosses tremper dans une assiette contenant de l'eau (fig. 131). Les brosses peuvent alors rester là un ou deux jours au maximum, car l'humidité n'est pas bonne pour les touffes de poil. Mais cette méthode ne peut être qu'un truc circonstanciel qui n'évitera pas le nettoyage à fond des brosses.

Un système acceptable pour nettoyer les brosses juste après avoir cessé de peindre consiste à les essuyer avec du papier journal, un chiffon et de l'essence de térébenthine (qui peut être de qualité courante). On commence à nettoyer la brosse en la pressant dans du papier journal pour en extraire la peinture, en répétant l'opération jusqu'à ce qu'il n'en reste plus (fig. 132). Dans un petit récipient contenant de l'essence de térébenthine, on plonge très vite la brosse, juste le temps de la tremper (fig. 133), et on l'essuie sur un chiffon (fig. 134). Cette opération doit elle aussi être répétée pour obtenir une brosse propre.

Fig. 131 et 132. S'il n'est pas possible de nettoyer les brosses immédiatement après avoir arrêté de peindre, vous pouvez les laisser dans une assiette d'eau après avoir retiré les restes de peinture avec du papier journal. C'est une solution provisoire qui ne peut en aucun cas durer plus de deux jours.

131

132

Fig. 133 et 134. Un autre «compromis» pour nettoyer les brosses consiste à les tremper dans de l'essence de térébenthine et à les sécher avec un chiffon, en répétant l'opération jusqu'à ce qu'elles soient suffisamment propres.

133

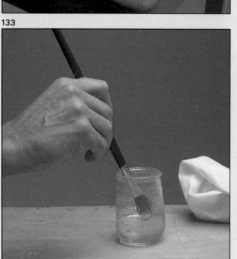

134

Je vous ai dit que ce système était acceptable. En fait, il en existe un bien meilleur qui consiste à laver les brosses à l'eau et au savon. Pour gagner du temps, si vous le voulez, vous pouvez d'abord les nettoyer selon le système précédent, avec du papier journal, un chiffon et de l'essence de térébenthine, et ensuite les laver avec de l'eau et du savon. On frotte énergiquement la brosse contre le savon, comme si on allait le peindre, afin de bien imprégner les poils (fig. 135). On frotte ensuite la touffe de poils dans le creux de la main (fig. 136) puis on la presse entre les doigts (fig. 137). On rince ensuite la brosse directement sous l'eau du robinet. On répète ces opérations jusqu'à ce que la mousse blanche du savon indique que la brosse est parfaitement propre.

Dans tous les cas, il faut faire en sorte que la touffe de poils ne s'abîme pas, qu'elle se maintienne compacte et rigide. Pour cela, en frottant la brosse sur le chiffon ou dans le creux de la main, il faut faire attention à la maintenir comme si on peignait. Une fois les brosses propres, on les met à sécher dans un pot, les poils en haut après s'être assuré qu'ils sont restés bien droits.

Fig. 135, 136 et 137. La manière parfaite de nettoyer les brosses est de les frotter vigoureusement sur un savon. Lorsque la touffe de poils en est bien imprégné, on la frotte dans le creux de la main, on la presse et on la rince sous l'eau du robinet. L'opération doit être répétée autant qu'il le faut pour que la brosse soit tout à fait propre.

Fig. 138. Une fois nettoyées, les brosses doivent être mises à sécher les poils en haut dans un pot.

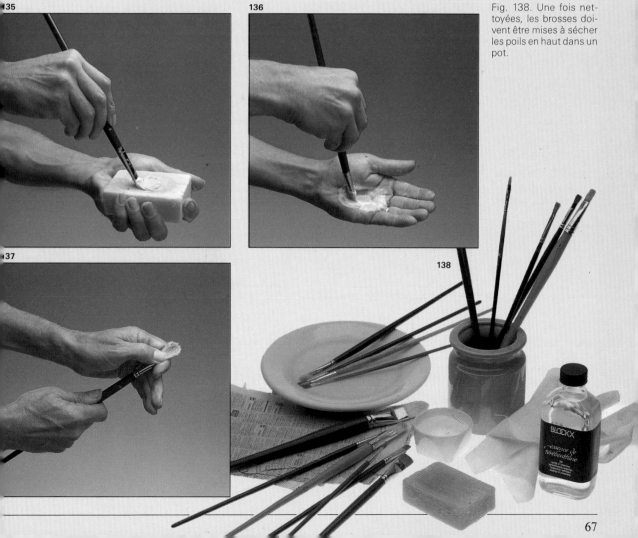

Voici un chapitre dont vous ne pouvez absolument pas faire l'économie : la théorie des couleurs. En effet, il suppose d'abord de réviser les aspects physiques de la couleur : la décomposition de la lumière dans les couleurs du spectre, la synthèse de ce même spectre en seulement trois couleurs capables d'illuminer et de «peindre de lumière» tout notre monde... Ce chapitre suppose également des applications pratiques pour comprendre que nous, avec nos pigments, avec nos peintures, nous pouvons aussi, *avec seulement trois couleurs*, REPRODUIRE TOUTES LES COULEURS DE LA NATURE. Cette possibilité tout simplement fantastique, il faut la connaître et la dominer parce que, comme disait Van Gogh : «Si l'on ne possède pas cette connaissance, c'est toujours une lutte stérile et l'on ne parvient jamais à accoucher.»

THÉORIE ET HARMONISATION DES COULEURS

Théorie de la couleur

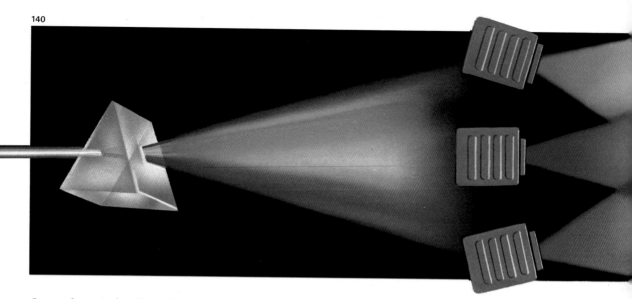

140

La couleur est lumière. Il y a deux cents ans, le physicien anglais Isaac Newton prouvait cette théorie en interceptant un rayon de lumière dans un prisme après s'être enfermé dans l'obscurité. Il avait réussi à *décomposer* la lumière blanche dans les couleurs du spectre. Cent ans plus tard, Thomas Young, un autre scientifique anglais qui réalisait des recherches dans le même domaine, projeta la lumière de plusieurs lanternes sur une paroi blanche, chacune avec une lentille correspondant à l'une des couleurs du spectre. À force de mélanger et d'éliminer les faisceaux de lumière, il parvint à une nouvelle découverte :

avec seulement trois couleurs, le rouge, le vert et le bleu intense, on peut recomposer la lumière blanche.

On comprend maintenant ce qu'est une *couleur primaire* car si toutes les couleurs peuvent être réduites à trois seulement, c'est que ces trois-là sont les *couleurs de base*, les *couleurs primaires*.
En recomposant la lumière blanche, Young prouva aussi qu'en projetant le faisceau de lumière rouge sur celui de lumière verte, on obtenait le jaune, qu'en projetant le faisceau bleu sur le rouge, on obtenait le *pourpre*, et qu'avec le bleu foncé et le vert, on obtenait un *bleu clair*.
Cette expérience permet de comprendre pourquoi nous appelons ces trois couleurs « *secondaires* », c'est-à-dire de

second ordre, obtenues par le mélange des primaires (fig. 140).
Jusqu'ici, nous avons parlé de lumière, de faisceau de lumière, de décomposition et de recomposition de la lumière blanche. Nous parlons donc de *couleurs lumière*. D'où il résulte que la somme ou le mélange de deux couleurs-lumière — le rouge et le vert — double la quantité de lumière et nous donne une couleur plus claire : le jaune (les physiciens appellent ce phénomène *synthèse additive*).
Mais nous ne peignons pas avec de la lumière et nos mélanges de couleurs supposent toujours que l'on *ôte* de la lumière. Avec le rouge et le vert, nous obtenons le marron, une couleur plus foncée (ce que les physiciens appellent *synthèse soustractive*).
Par conséquent, nos *couleurs-pigment primaires* doivent être et sont plus clairs. En somme, si nous prenons comme base les couleurs du spectre, nous pouvons dire :

Nos couleurs primaires sont les secondaires lumière et, à l'inverse, nos secondaires sont les primaires lumière.

Fig. 139. (Page précédente.) José M. Parramón, *Nature morte à la théière* (détail). Collection particulière, Barcelone.

Fig. 140. Reproduction graphique de l'expérience de Isaac Newton et de Thomas Young. Les deux scientifiques ont prouvé que la lumière se décomposait en un faisceau de couleurs lorsqu'elle se réfléchissait à travers un prisme et qu'en superposant les trois couleurs primaires, on restituait la lumière blanche.

Fig. 141. (Page suivante.) Le cercle chromatique avec les couleurs-pigment primaires (P), secondaires (S) et tertiaires (T).

Fig. 142. (Page suivante.) Les couleurs primaires du peintre sont les couleurs secondaires de la lumière : jaune, pourpre et bleu cyan. En les mélangeant par deux, on obtient les couleurs secondaires : bleu foncé, vert et rouge. En mélangeant encore ces dernières par deux, on obtient les couleurs tertiaires : orange, carmin, violet, bleu outremer, vert émeraude et vert clair.

Fig. 143. Puisque les couleurs-lumière et les couleurs-pigment coïncident parfaitement, toutes les couleurs de la nature peuvent être obtenues en mélangeant trois couleurs : le jaune, le pourpre et le bleu.

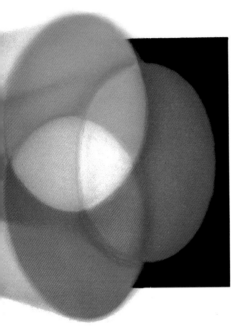

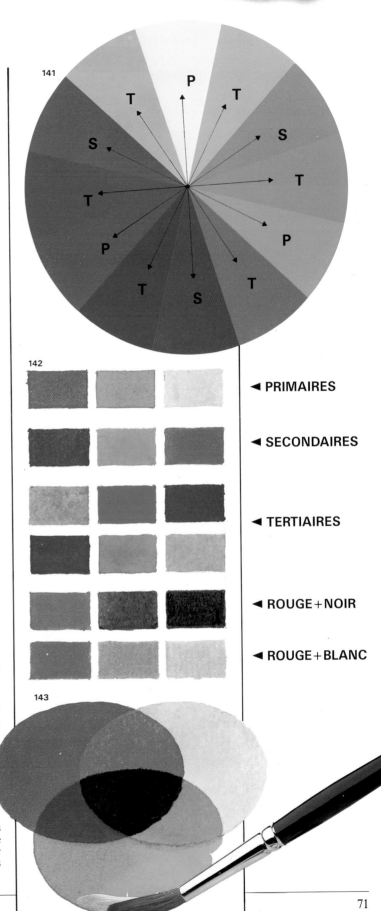

Voici donc nos couleurs :

COULEURS-PIGMENT PRIMAIRES

Jaune, pourpre, bleu cyan*.

Le mélange de ces couleurs deux par deux donne les

COULEURS-PIGMENT SECONDAIRES

Bleu foncé, vert, rouge.

Le mélange de couleurs secondaires avec des couleurs primaires donne les

COULEURS-PIGMENT TERTIAIRES

Orange, carmin, violet, bleu outremer, vert émeraude, vert clair.

Nous arrivons à la conclusion suivante : **La parfaite coïncidence entre les couleurs-lumière et les couleurs-pigment nous permet de peindre toutes les couleurs de la nature avec seulement trois d'entre elles : le jaune, le pourpre et le bleu.**

Regardez en haut à droite le cercle chromatique, ou table des couleurs-pigment (nos couleurs) : on y voit les trois couleurs *primaires* (P), avec le mélange desquelles on obtient les trois *secondaires* (S) qui, à leur tour, donnent six autres couleurs appelées *tertiaires* (T).

◄ **PRIMAIRES**

◄ **SECONDAIRES**

◄ **TERTIAIRES**

◄ **ROUGE + NOIR**

◄ **ROUGE + BLANC**

* Le bleu cyan n'existe pas sur les gammes proposées aux artistes. C'est un pigment propre aux industries graphiques et à la photographie en couleurs. Le terme a été utilisé dans la théorie des couleurs pour définir le bleu primaire, très proche du bleu de Prusse des couleurs à l'huile, additionné d'un peu de blanc.

Les couleurs complémentaires :
ce qu'elles sont et à quoi elles servent

144

Comme vous le savez maintenant, lorsque les faisceaux de lumière des trois couleurs-lumière rouge, vert et bleu intense se superposent, on obtient la lumière blanche. La figure 144 montre que si nous interrompons la projection du faisceau de lumière bleue, la somme du rouge et du vert nous donne du jaune. Nous pouvons donc en conclure que le jaune a besoin de son *complément* le bleu pour *recomposer* la lumière blanche, et vice versa. Étant donné que nos couleurs sont les mêmes que les couleurs-lumière, nos couleurs complémentaires sont aussi les mêmes (fig. 145).

COULEURS COMPLÉMENTAIRES
Bleu cyan, complément du **rouge**.
Pourpre, complément du **vert**.
Jaune, complément du **bleu intense**.

À quoi servent-elles ? À accentuer les contrastes en les juxtaposant (fig. 146) et à obtenir des gris en les mélangeant (fig. 147).

145

Fig. 144. Si, au cours de la projection des trois couleurs-lumière primaires, on interrompt le faisceau bleu, on obtient le jaune, auquel il manque précisément le complément bleu pour restituer la lumière blanche. Ainsi, la couleur complémentaire du jaune est le bleu, et vice versa.

Fig. 145. Les couleurs de la partie supérieure sont les complémentaires de celles de la partie inférieure.

146

147

De la théorie à la pratique : tous les tons avec seulement trois couleurs et du blanc

Fig. 146-147. José M. Parramón, *Natures mortes*. Peintures réalisées à partir de couleurs complémentaires (fig. 146) et de tons sourds (fig. 147) dont nous parlerons plus loin.

Fig. 148. Une marine réalisée à partir de trois couleurs : bleu de Prusse, jaune de cadmium moyen et carmin de garance (plus du blanc), des couleurs primaires à partir desquelles on peut obtenir toutes les autres.

À propos de la théorie de la couleur, nous avons dit que les six *couleurs-lumière* du spectre sont les mêmes que les *couleurs-pigment* que nous utilisons dans la peinture. Et nous avons vu que les *couleurs secondaires, lumière et pigment*, proviennent du mélange par deux des *couleurs primaires*. Nous en arrivons donc à la conclusion de Young :

la lumière « peint » avec trois couleurs seulement.

En conséquence :

nous pouvons peindre avec trois couleurs seulement.

C'est vrai en théorie, c'est aussi vrai en pratique. J'ai moi-même peint dans le port de Barcelone cette marine que vous voyez reproduite ci-dessous, avec seulement trois couleurs à l'huile : *bleu de Prusse, jaune de cadmium moyen* et *carmin de garance* (plus le blanc). Pour vous en convaincre, nous allons peindre — vous et moi — avec ces trois couleurs une série de gammes de tous les tons existant dans la nature. Mais avant de commencer, nous allons voir ce que l'on entend par harmonisation et par gamme, combien il en existe et de quelles couleurs elles sont constituées.

LES COULEURS COMPLÉMENTAIRES		
PRIMAIRES-LUMIÈRE	Bleu intense Rouge Vert	SECONDAIRES-PIGMENT
SECONDAIRES-LUMIÈRE	Bleu cyan Jaune Pourpre	PRIMAIRES-PIGMENT

148

J.M.PARRAMON

Harmonisation de la couleur et interprétation

En peinture, *harmoniser la couleur* veut tout simplement dire choisir une tendance de couleur déterminée pour réaliser un tableau. Cette tendance est évidente dans la majorité des œuvres des grands maîtres. Rubens peignait essentiellement avec des jaunes, des dorés et des rouges ; Vélazquez est le grand peintre des tons bruns, gris, sourds ; chez les impressionnistes, les tendances sont très variées mais dans la plupart de leurs œuvres, et en particulier leurs paysages, c'est le bleu qui domine. Ces tendances, ou dominantes, ne sont pas fortuites : elles répondent aux impératifs des *gammes de couleur*, constituées par des tons qui se marient, *s'harmonisent*. Par exemple, le jaune et le rouge, le vert et le bleu, le brun et le gris offrent une tendance chromatique similaire (voir dans l'encadré ci-contre les couleurs qui constituent les trois gammes de base : *chaude, froide* et *rompue*).

Heureusement, la nature nous offre toujours, grâce à la lumière qui baigne le sujet — paysage, nature morte ou portrait — une concordance parfaite entre une couleur et l'autre, et entre toutes ensemble. En effet, selon le moment de la journée — matin, midi, soir — et selon le temps — ensoleillé ou nuageux —, la nature « peint » avec une tendance ou une autre : bleue, froide, le matin ; dorée, chaude, l'après-midi ; grise, sourde, sous les nuages ; et avec des couleurs vives, brillantes, sous le grand soleil.

149

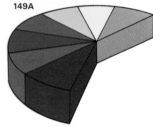

149A

Fig. 149. Sur cette photo, les tons chauds dominent, avec une tendance au rouge et au jaune très prononcée.

Fig. 149A. La gamme des couleurs chaudes est constituée des tons violet, pourpre, carmin, rouge, orange, jaune et vert.

LES GAMMES DE COULEURS

LA GAMME DES COULEURS CHAUDES (fig. 149A)
Elle est constituée des couleurs du spectre à dominante rouge :
violet, pourpre, carmin, rouge, orange, jaune et vert.

LA GAMME DES COULEURS FROIDES (fig. 150A)
Elle est constituée des couleurs à dominante bleue :
vert clair, vert, vert émeraude, bleu cyan, bleu outremer, bleu intense et violet.

LA GAMME DES COULEURS ROMPUES (fig. 151A)
Elle se caractérise par des couleurs à tendance grise.
Elle est obtenue par le mélange de couleurs complémentaires en proportions inégales et en ajoutant du blanc.

Fig. 152. José M. Parramón, *Marine sur le quai des pêcheurs*. Collection de l'artiste. Un exemple d'interprétation de la forme et de la couleur à partir du modèle photographié plus haut (fig. 150), de tendance froide et avec une ligne d'horizon beaucoup plus basse.

50

151

150A

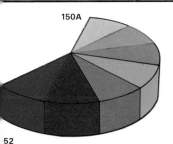

Fig. 150 et 150A. Dans la gamme froide, les tons bleus dominent et peuvent aller du violet au vert.

151A

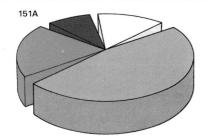

Fig. 151 et 151A. La gamme des tons rompus est dominée par les couleurs grisâtres, un peu indéfinissables et « sales » à cause du mélange des couleurs complémentaires, éclaircies par du blanc. Ces tons peuvent présenter une tendance chaude ou froide.

52

Interprétation

Devant un sujet déterminé, aux formes et aux couleurs précises, il est possible que vous ayez envie de *l'interpréter* à votre manière. Rien de plus normal.

Un jour, je suis allé sur le port de pêche de Barcelone. Il était huit heures du matin, le soleil arrivait à contre-jour et la brume recouvrait encore les eaux du port et les bateaux, donnant une gamme de dorés, d'ocres et de bruns. J'ai pensé que c'était une dominante fantastique et j'ai décidé de revenir le lendemain pour faire un tableau.

Le lendemain, je suis arrivé au port à... onze heures du matin. Il n'y avait plus de brume, le soleil n'éclairait pas à contre-jour, il n'y avait plus d'ocre ni de doré : tout avait changé, comme le montre la photo que j'ai immédiatement prise (fig. 150). Mais j'avais gardé l'image de la veille et j'ai peint *mon paysage*, avec cette harmonie chaude, ce point de vue plus élevé, cette brume, ces ocres et ces dorés (fig. 152).

Un exercice pratique très important

Avant de parler d'ustensiles et de préparatifs, laissez-moi vous dire que cet exercice est l'un des plus importants de tous ceux que vous pourrez réaliser pour apprendre à peindre à l'huile. Tout d'abord parce que vous comprendrez, mieux qu'avec des mots, comment mélanger les couleurs ; quelle quantité de bleu, de carmin et de jaune vous devez utiliser pour obtenir une nuance précise ; de quelle façon un bleu influe, lorsqu'il est mélangé avec du carmin et du blanc, sur l'obtention d'un violet ; quelles couleurs doivent être mélangées pour peindre un ciel menaçant, l'ombre d'une barque sur la plage ou un visage dans la pénombre. En second lieu parce que cet exercice vous permettra de comprendre que dans la composition de toutes les couleurs et de toutes les nuances entrent une partie de bleu, une partie plus ou moins importante de carmin et une autre de jaune. En troisième lieu, il vous sera d'une aide précieuse par la suite, lorsque vous peindrez avec une gamme de couleurs plus étendue, parce que vous aurez acquis une meilleure connaissance du matériau et une plus grande expérience des mélanges et de leurs résultats.

Enfin, cet exercice vous permettra de vérifier l'importance de travailler avec des brosses propres, une palette propre et des couleurs propres : une nécessité sans laquelle il n'est pas possible de bien peindre. En revanche, il est facile de tomber dans « le piège des gris », comme je l'appelle, c'est-à-dire dans un mélange de couleurs non contrôlé, gris, sale, tout simplement parce que les brosses et la palette ne sont pas nettoyées. Nous ferons de cette nécessité un principe de base que nous répéterons plusieurs fois au cours de cet exercice.

Pour terminer, une dernière recommandation sur laquelle je me permets d'insister :

en composant une couleur sur la palette, intensifiez le ton progressivement.

LES MATÉRIAUX
DONT VOUS AVEZ BESOIN

Couleurs
à l'huile
Jaune de cadmium moyen.
Bleu de Prusse.
Carmin de garance foncé.
Blanc de titane.

Support
Toile de 18 × 20 cm environ ou carton n° 2 ou 3, ou encore papier épais de mêmes dimensions.

Brosses
Deux plates n° 12.

Palette

Diluant
Essence de térébenthine.

Chiffons, papier journal.

Préparez la toile ou la papier où vous allez peindre. Regardez page suivante la façon dont j'ai disposé les échantillons de couleurs et dessinez avec un crayon de qualité courante, ou un HB, un quadrillage à peu près semblable.

Mais si vous voulez vous lancer sans quadrillage, n'hésitez pas : peignez seulement les échantillons à peu près les uns à côté des autres.

Voyons maintenant le matériel dont vous avez besoin pour peindre soixante échantillons de couleurs différentes, appartenant à une gamme de tons chauds, une gamme de tons froids et une gamme de tons rompus.

Fig. 154. Pour l'exercice des pages suivantes, il faudra utiliser uniquement le *jaune de cadmium moyen*, le *carmin de garance foncé*, le *bleu de Prusse* et le *blanc de titane*, en plus du matériel habituellement nécessaire (brosses, palette, essence de térébenthine, support).

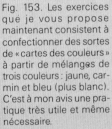

Fig. 153. Les exercices que je vous propose maintenant consistent à confectionner des sortes de « cartes des couleurs » à partir de mélanges de trois couleurs : jaune, carmin et bleu (plus blanc). C'est à mon avis une pratique très utile et même nécessaire.

154

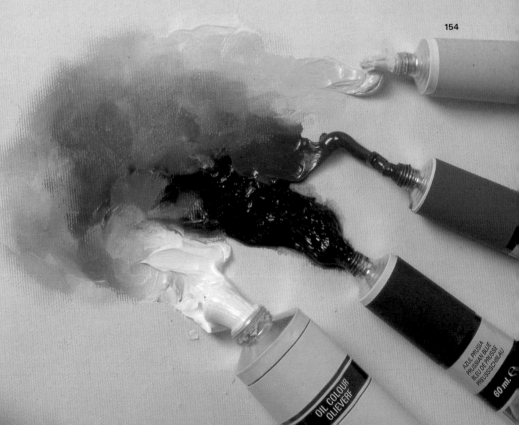

Peindre une gamme de couleurs chaudes avec seulement trois couleurs

155

Fig. 155. Une gamme de couleurs chaudes obtenues avec seulement trois couleurs et du blanc.

Prenez la palette, les brosses, un chiffon et déposez de la peinture sur la palette dans cet ordre, en allant de droite à gauche : blanc, jaune, carmin et bleu. L'exercice commence...

LES COULEURS ET L'ORDRE À SUIVRE

1. Jaune citron. Mélangez du *blanc* et du *jaune*, dans cet ordre.

2. Jaune de cadmium moyen. Du *jaune* tel qu'il sort du tube. Mais auparavant, nettoyez la brosse pour éliminer tout reste de blanc.

3. Jaune foncé. Du *jaune* et un peu, très peu, de *carmin*.

4. Orange. Du *jaune foncé* avec un peu plus de *carmin*.

5. Jaune neutre, c'est-à-dire un peu sale. Du *jaune foncé* mais avec presque rien de *bleu*.

6. Rouge anglais clair. Du *jaune neutre* en ajoutant progressivement du *carmin*.

7. Ocre jaune. Nettoyez votre brosse, composez une couleur *orange* (n° 4) et ajoutez un peu de *bleu* et de *blanc*.

8. Carmin. Du *carmin* seul avec peut-être une toute petite pointe de *blanc*.

9. Sienne. Mélangez du *jaune* avec un peu de *carmin* et un peu de *bleu*, puis ajoutez un peu de *blanc*.

10. Rouge. Nettoyez votre brosse pour obtenir un rouge propre. Commencez avec du *jaune* et ajoutez progressivement du *carmin* jusqu'à parvenir au rouge.

56

11. Sienne brûlée. Comme pour le *Sienne* (n° 9) mais en augmentant légèrement la quantité de *bleu*.

12. Vert olive clair. Comme pour l'*ocre jaune* (n° 7) mais en ajoutant un peu de *jaune*.

13. Vert olive foncé. Comme précédemment en ajoutant un peu de *bleu* et beaucoup moins de *carmin*.

14. Rouge anglais foncé. Comme pour le *rouge anglais clair* (n° 6), avec un peu plus de *carmin*. Mais avant, nettoyez bien votre brosse.

15. Vert hoocker. Comme le *vert olive foncé* (n° 13), avec un tout petit peu plus de *bleu* et un peu plus de *blanc*.

16. Gris foncé chaud. Mélangez progressivement les trois couleurs en quantités égales, en contrôlant la tendance (rougeâtre pour le chaud), et ajoutez le *blanc* nécessaire.

17. Gris violet foncé. Mélangez les trois couleurs avec un peu plus de *bleu* et de *carmin*, puis ajoutez un peu de *blanc*.

18. Gris-brun foncé. Le mélange précédent avec davantage de *carmin*.

19. Noir carminé. Mélangez les trois couleurs en quantités égales avec un peu plus de *carmin*. Dans cette couleur comme dans la précédente, il faudra peut-être ajouter un tout petit peu de *blanc*.

20. Noir. Mélangez les trois couleurs en quantités égales, mais faites-le progressivement pour contrôler qu'aucune tendance n'apparaît.

Fig. 156. José M. Parramón, *La Plaza Nueva en fête*. Collection particulière, Barcelone. Dans ce tableau, la dominante chaude est absolue : tous les tons sont imprégnés de jaune et de rouge.

Peindre une gamme de couleurs froides avec seulement trois couleurs

157

Comme vous le savez maintenant, la couleur dominante de la gamme des couleurs froides est le bleu. Bien qu'il soit possible de peindre une toile où le bleu domine entièrement — souvenez-vous de la *période bleue* de Picasso —, il est tout à fait normal d'y ajouter des couleurs chaudes comme le rouge, le jaune, l'ocre, l'orange, etc. Disons que cet échantillon de couleurs est trop exclusivement orienté sur les tons froids, mais il est utile pour que vous appreniez à connaître les couleurs de base de cette gamme.

21. Gris perle clair. Avant toute chose, nettoyez les brosses et la palette. Ce gris s'obtient en mélangeant la même quantité, infime, de *bleu*, de *carmin* et de *jaune* et en ajoutant progressivement une bonne quantité de *blanc*.

22. Vert clair. Nettoyez un peu votre brosse. Mélangez le *bleu*, le *jaune* et le *blanc*, dans cet ordre, puis une minuscule pointe de *carmin*.

23. Bleu clair. Du *bleu* et du *blanc*.

24. Bleu clair. La même chose que précédemment avec un peu plus de *bleu* et une pointe de *jaune*.

25. Kaki. Composez un *vert clair* (n° 22) et ajoutez un peu de *bleu* et une pointe de *carmin*.

26. Crème ou chair. Nettoyez votre brosse. Du *blanc*, ajoutez du *jaune* et un peu moins de *carmin*. Il pourrait manquer une infime pointe de *bleu*.

Fig. 157. Une gamme de couleurs froides obtenues par le mélange du jaune de cadmium moyen, du bleu de Prusse, du carmin de garance foncé et du blanc de titane.

158

27. Gris perle. Nettoyez votre brosse. Du *bleu*, du *jaune*, du *carmin* et un peu moins de *blanc* que pour le gris perle clair (n° 21).

28. Gris moyen. Intensifiez la couleur précédente.

29. Vert clair. Du *bleu*, du *jaune* et du *blanc*.

30. Vert moyen. Intensifiez la couleur précédente.

31. Bleu outremer clair. Du *bleu*, du *blanc* et une pointe de *carmin*.

32. Bleu outremer moyen. Intensifiez la couleur précédente.

33. Bleu-gris foncé. Du *bleu* mélangé avec de très petites quantités de *jaune*, de *carmin* et de *blanc*.

34. Vert intense. Du *bleu* et un peu de *jaune*.

35. Vert foncé. Intensifiez la couleur précédente et ajoutez un tout petit peu de *carmin*.

36. Vert foncé bleuté. Ajoutez à la couleur précédente une petite pointe supplémentaire de *bleu* et une pointe de *blanc*.

37. Bleu de cobalt. Du *bleu* et du *blanc*, avec une infime quantité de *carmin* et encore moins de *jaune*.

38. Gris foncé neutre. Du *bleu*, du *jaune* et du *carmin* avec une pointe de *blanc*.

39. Mauve foncé. Du *bleu* et du *carmin*, avec une légère dominante de *carmin*.

40. Violet foncé. Du *bleu* et du *carmin*, avec une légère dominante de *bleu*.

Fig. 158. José M. Parramón, *Paysage dans les collines de Catalogne.* Collection particulière, Barcelone. La dominante vert bleuté de ce paysage s'apparente totalement à la gamme des couleurs froides.

Peindre une gamme de couleurs sourdes avec seulement trois couleurs

Aucune des couleurs de cette gamme ne peut être obtenue sans l'intervention du bleu. Il s'agit de tons rompus, sales, qui présentent presque toujours un aspect grisâtre et qui demandent donc une plus ou moins grande quantité de bleu. Avant de commencer cette exercice, nettoyez votre palette et vos brosses.

41. Crème clair. Du *jaune* et beaucoup de *blanc*. Ajoutez une infime quantité de *carmin* et encore moins de *bleu*.

42. Ocre jaune. Mélangez du *jaune* et du *blanc* comme précédemment. Ajoutez un peu de *carmin* et un peu moins de *bleu*.

43. Gris perle. Les trois couleurs, avec un peu moins de *carmin*, et du *blanc*.

44. Ocre moyen. Nettoyez votre brosse. Augmentez légèrement les quantités d'*ocre jaune* (n° 42).

45. Chair clair. Nettoyez votre brosse. Intensifiez les quantités de couleur du *crème clair* (n° 41), avec un peu plus de *jaune* et de *carmin*.

46. Sienne clair. Ajoutez un peu de *carmin* à l'*ocre moyen* (n° 44).

47. Vert neutre. Nettoyez votre brosse. Du *jaune*, du *bleu* et un peu de *carmin*, puis un peu de *blanc*.

48. Rouge anglais clair. Nettoyez votre brosse. Du *jaune*, du *carmin* et un peu de *blanc*, pour obtenir un orange de tendance rouge. Ajoutez ensuite du *bleu* jusqu'à parvenir à cette nuance.

Fig. 159. Une gamme de couleurs rompues obtenues en mélangeant les couleurs complémentaires et du blanc.

Fig. 160. José M. Parramón, *Notre-Dame de Paris*. Collection de l'artiste, Barcelone. Ce paysage permet d'apprécier la richesse que procure la gamme des tons rompus.

49. Rouge anglais foncé. Comme précédemment mais sans *blanc*.

50, 51, 52, 53 et 56. Gris bleutés. Nettoyez votre brosse. Ces cinq couleurs présentent le même ton. Elles sont composées de *bleu* et de *blanc*, en y ajoutant un peu de *carmin* et un peu moins de *jaune*. On peut, à partir du bleu clair, parvenir progressivement à tous ces tons, en ajoutant chaque fois un tout petit peu plus de *carmin* et de *jaune*, en contrôlant le résultat et en rectifiant par un ajout de *blanc*, de *carmin* ou de *jaune*.

54 et 55. Verts neutres. Nettoyez votre brosse. Deux couleurs presque identiques. La première est proche du *vert neutre* (n° 47), nous pouvons donc reprendre la même formule : du *jaune*, du *bleu*, un peu de *carmin* et de *blanc*. Pour la seconde, plus intense, il suffira d'ajouter un tout petit peu plus de *bleu* et de *carmin* (et peut-être une pointe de *jaune*).

57 et 58. Violet foncé. Un violet presque noir. Vous le connaissez déjà : il suffit de composer un gris, presque noir, avec les trois couleurs, sans *blanc*, et d'ajouter finalement du *carmin*, un peu plus dans le second que dans le premier.

59. Gris foncé, presque noir. Les trois couleurs mélangées progressivement, et un tout petit peu de *blanc* lorsqu'on arrive au noir pur.

60. Noir. Comme précédemment mais sans *blanc*.

Peindre une pomme avec trois couleurs (et du blanc)

161

Voici votre modèle, ou plutôt le mien : une pomme. J'espère que celle que vous choisirez sera aussi colorée, en tout cas dans les même tons. Bien sûr, vous pouvez aussi décider de peindre une poire, une pêche ou tout autre fruit de forme sphérique qui ne pose pas de problème de dessin. Le but de l'exercice est de poursuivre votre pratique de la peinture à l'huile, de travailler la technique de la couleur et des mélanges avec les trois couleurs-pigment primaires : le *jaune*, le *bleu* et le *pourpre* (en plus du blanc).

Tout d'abord, nous allons dessiner la pomme au fusain, en traçant un cercle puis, à l'intérieur, les taches correspondant aux couleurs, aux lumières et aux ombres. Ensuite, nous allons estomper les traits de fusain avec le bout du doigt pour obtenir des grisés et des dégradés. Nous pouvons travailler sans crainte, avec décision puisque le fusain s'efface facilement avec un chiffon et encore mieux avec une gomme malléable (fig. 162 et 163).

Quand vous estimez que le dessin est terminé, fixez-le à l'aérosol et n'oubliez pas cette règle :

> **Dans le peinture à l'huile, lorsque le dessin préliminaire a été réalisé au fusain, il faut le fixer pour éviter que la poussière noire ne salisse la peinture.**

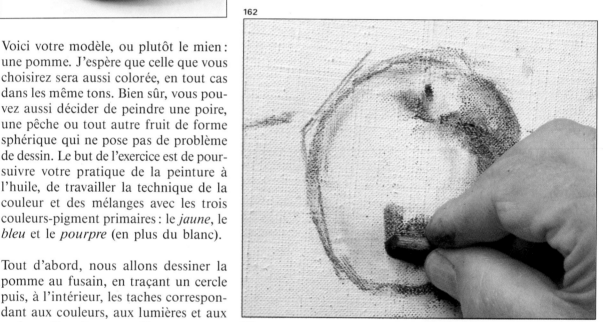
162

163

Fig. 161. La pomme à peindre avec trois couleurs seulement (et du blanc) : le jaune, le carmin de garance et le bleu de Prusse.

Fig. 162. Après avoir dessiné la forme (souvenez-vous du dessin de la sphère, fig. 115, car la pomme a le même pro-fil), je noircis les zones correspondant aux tons rouges les plus foncés du modèle, en travaillant avec le fusain posé à plat sur la toile.

Fig. 163. Lorsqu'on travaille au fusain, l'idéal est d'estomper les traits avec le doigt jusqu'à obtenir l'intensité de gris désirée.

Nous pouvons commencer à peindre mais, auparavant, je vous demande de faire quelques essais en mélangeant le *bleu de Prusse* et le *carmin de garance* avec du *blanc* et avec du *jaune*, afin de constater l'extraordinaire pouvoir colorant des deux premières couleurs. Sur la partie supérieure droite de votre palette, mettez le blanc, puis, un peu plus à gauche, le jaune, le carmin et enfin le bleu, en respectant cet ordre. Avec une brosse n° 12, déposez un peu de blanc au centre de la palette et ajoutez-y du bleu de Prusse, mais beaucoup moins. Nettoyez la brosse, d'abord en pinçant la touffe de poils avec un morceau de papier journal pour en ôter la peinture, ensuite en répétant la même opération avec de l'essence de térébenthine et un chiffon. Reprenez un peu de blanc et mélangez-le avec un tout petit peu de carmin. Nettoyez à nouveau la brosse (ou changez-la pour une brosse n° 8) et mélangez le jaune avec le bleu puis avec le carmin, pour vérifier que tant le bleu de Prusse que le carmin ont un grand pouvoir colorant et qu'ils doivent donc être utilisés et mélangés avec beaucoup de prudence et en quantités modérées.

Cette fois, nous pouvons vraiment peindre. Regardez la figure 164 : de gauche à droite, nous trouvons un mélange de jaune et de carmin, du jaune au centre et du carmin sur le côté droit, sans blanc, sans essence de térébenthine, avec une peinture épaisse, telle qu'elle sort du tube.

Poursuivons avec la figure 165 : nous trouvons maintenant, mélangée au carmin, une pointe de bleu de Prusse pour donner cette couleur brunâtre, tendant vers le carmin foncé, qui explique les parties dans l'ombre.

164

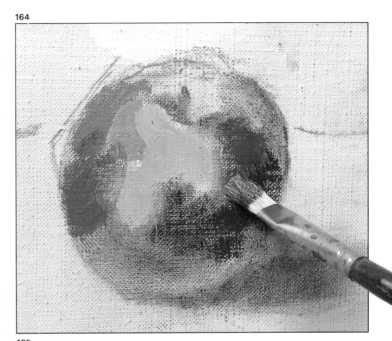

165

Fig. 164. J'ai fixé le dessin à l'aérosol et j'ai commencé à « remplir » la forme de peinture. Les premières touches sont des tons purs ou à peine mélangés. Les ombres dessinées préalablement au fusain me renseignent sur les zones à traiter avec des tons plus clairs ou plus foncés.

Fig. 165. Je peux commencer à fondre certains tons avec la brosse, en superposant du carmin mélangé avec une pointe de bleu sur le mélange de carmin et de jaune.

Peindre une pomme : deuxième et troisième stade

Poursuivons avec la pomme. Peignez d'abord la partie supérieure avec le jaune, limitez le bord extérieur avec un trait de carmin et fondez le carmin avec le jaune en dégradant. Dessinez la forme foncée du creux de la pomme (fig. 166A) avec du carmin mélangé avec un peu de bleu. Remplissez cette forme triangulaire d'un seul geste, en utilisant le côté de la brosse et en la dirigeant de bas en haut. Terminez les fondus et les dégradés avec le doigt, mais sans exagérer. Il s'agit de retoucher légèrement la partie frontale de la pomme pour obtenir le fini que vous voyez sur les photos.

En mélangeant les trois couleurs avec beaucoup de blanc, vous obtiendrez un gris moyen qui, avec une pointe supplémentaire de bleu, donnera un gris perle froid avec lequel vous pourrez peindre l'ombre portée de la pomme (fig. 167). Observez le travail réalisé sur la figure 168. À ce second stade, pratiquement terminé, même la lumière est là, exprimée par une seule touche de blanc « posée » sur la partie jaune encore humide avec une brosse tenue le manche à l'intérieur de la main (voir page 52, figure 109).

Au stade final (fig. 169, 170 et 171), il restera à peindre le fond gris, à placer le coup de brosse noir, de tendance bleutée, à la base de la pomme et à tracer la petite queue avec un noir brunâtre, obtenu par le mélange des trois couleurs mais avec une légère dominante de carmin et de jaune.

Fig. 166. Dans la peinture à l'huile, on peut aussi peindre avec les doigts. Dans ce cas, il s'agit de fondre deux tons sur une petite partie de la pomme.

Fig. 167. Pour l'ombre portée, j'utilise un ton rompu de tendance gris-bleu, une couleur froide qui contraste et s'harmonise avec les tons chauds de la pomme.

Fig. 168. Pour bien faire ressortir les couleurs du fruit, je peins le fond avec un gris très clair, presque blanc. Remarquez la lumière sur la pomme : une simple tache de blanc pur.

Fig. 169. Pour donner l'impression que la pomme repose vraiment sur la table, je trace un trait foncé à sa base, là où commence l'ombre portée.

Fig. 170. La queue est peinte avec une brosse fine.

Fig. 171. L'exercice est terminé. Le fond est recouvert d'une couleur uniforme pour faire ressortir l'objet unique.

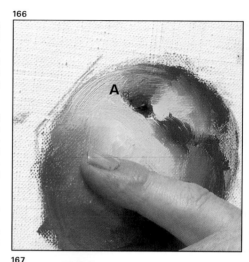

166

167

168

169

170

171

Un exercice convaincant (avec trois couleurs et du blanc)

L'exercice précédent terminé, il restait sur la palette suffisamment de bleu, de carmin et de jaune. J'y ajoutai un peu de blanc. Je m'emparai du miroir de l'atelier et je le plaçai devant moi. Je pris une toile et, sans plus attendre, je commençai à dessiner et à peindre un visage, mon propre visage reflété dans le miroir. Rien ne s'oppose à ce que vous fassiez aussi cet exercice. Il se peut que vous manquiez d'expérience, mais celle-ci s'acquiert avec la pratique, en peignant. Il vous reste encore certaines choses à apprendre au sujet des mélanges de couleurs, des techniques que vous verrez à la fin de ce livre et que vous pratiquerez en peignant avec moi une nature morte. Mais que ce ne soit pas un obstacle pour vous lancer sur le meilleur des chemins : apprendre en faisant. Alors, pourquoi ne pas commencer immédiatement ?

Fig. 172. J'ai commencé mon autoportrait en ébauchant le dessin à la pointe du pinceau, avec un mélange de bleu et de carmin très dilué.

Fig. 173. De la peinture directe, sans retouche, à la manière impressionniste. La forme et la couleur sont en coordination.

Fig. 174. Je n'ai pas eu besoin de plus de trois couleurs. N'est-ce pas un résultat convaincant ?

Fig. 175. L'aspect de ma palette au moment de la réalisation de l'autoportrait. Comme vous pouvez le voir, toutes ces couleurs peuvent être obtenues par le mélange des trois primaires : le jaune, le carmin et le bleu, et bien sûr du blanc.

172

173

174

175

J.M. PARRAMÓN

Ce chapitre sera le dernier du livre. Un chapitre qui vous expliquera comment commencer une toile et ce que sont les techniques de la peinture *alla prima* et de la peinture par étape. Il vous parlera également des contrastes simultanés et de ceux que l'artiste peut créer pour rehausser certaines parties du tableau. Il s'agit d'un chapitre purement pratique, qui résume tous les enseignements des pages précédentes : comment choisir chez soi des objets à peindre, où les placer, comment les composer et les éclairer ? Restera ensuite à en faire un tableau, en utilisant toutes les couleurs et en suivant pas à pas la démonstration que j'ai réalisée pour vous.

LA PEINTURE À L'HUILE DANS LA PRATIQUE

Choix et composition d'un thème

177

178

Nous allons d'abord étudier un thème de tableau à peindre avec toutes les couleurs. Ce sera une nature morte pour que vous puissiez réaliser cet exercice chez vous, seul, sans limite de temps, et en suivant pas à pas chacune des étapes que je décrirai en peignant le tableau que j'ai choisi pour vous.

La nature morte que vous et moi allons peindre ensemble pourrait s'intituler : « **Après le repas** ». J'ai souvent pensé que ce qui reste sur la table — la tasse à café, le verre et la bouteille de cognac, la bouteille de vin, un verre et quelques fruits — est un bon sujet de tableau. J'ai eu l'idée d'y ajouter un livre rouge que j'ai posé à côté de la tasse à café. J'ai alors dessiné le croquis que vous voyez figure 178. Au départ, l'idée m'a plu et, dans l'après-midi, j'ai peint à l'huile l'esquisse que vous voyez figure 179, en supprimant le verre et en échangeant la bouteille de vin contre celle de cognac.

« Ce n'est pas mal, mais le sujet reste pauvre », pensai-je.

J'ai commencé alors à étudier la composition du sujet en remplaçant quelques éléments par d'autres et en les changeant de place, avec l'idée que cette étude allait nous servir pour l'exercice final du livre. J'ai donc procédé ainsi :

Première étude de composition (fig. 180). J'ai supprimé le livre rouge et j'ai ajouté une bouilloire et une pomme rouge. Voyons un peu ... Dans un certain sens, nous avons enrichi le sujet, il y a davantage d'éléments, mais la bouteille, le verre, la bouilloire et la pomme constituent un groupe indépendant qui nuit à l'unité de l'ensemble, comme si la tasse et la soucoupe du premier plan étaient un sujet à part, avec peu ou pas du tout de rapport avec le reste.

Fig. 176. (Page précédente.) Fragment de la nature morte que nous allons peindre, pas à pas, dans les pages suivantes.

Fig. 177, 178 et 179. Essai de composition d'une nature morte *Après le repas* : photographie du sujet en ajoutant un livre à la couverture rouge ; esquisse à la mine de plomb puis esquisse à la peinture à l'huile après avoir enlevé un verre et avoir remplacé la bouteille de vin par une autre de cognac. Le résultat est assez pauvre.

180

181

Fig. 180 et 181. Deuxième et troisième essais de composition. Je suis revenu à la bouteille et au verre de vin, et j'ai ajouté une bouilloire et une pomme. La composition est maintenant trop variée (fig. 180). J'ai donc supprimé la bouilloire et mis quelques fruits à la place. Maintenant, la composition présente trop d'unité (fig. 181).

Deuxième étude (fig. 181). Je remplace la bouilloire par des fruits. Non, cette fois, il y a trop d'*unité*. Les fruits semblent être entassés, sans ordre. La ligne formée par le citron, la pomme rouge et le verre de vin est sans intérêt ; la composition est monotone ; elle manque de *variété*.

Précisons le sens des ces termes, *unité et variété*, dans l'art de la composition. Un jour, on a demandé à Platon, philosophe grec de l'Antiquité, en quoi consistait l'art de composer. Il répondit :

> **« Composer, c'est trouver l'unité dans la variété. »**

Et nous pouvons ajouter que composer, c'est aussi *trouver la variété dans l'unité*. Dans la première étude de composition (fig. 180), la *variété* est trop grande : la bouilloire et le fruit sont là, isolés, créant un nouveau centre d'intérêt qui détourne l'attention de la tasse et du verre de cognac. Entre les deux ensembles, c'est le vide. Dans la seconde étude (fig. 181), c'est le contraire : la bouteille, le verre et les fruits constituent une *unité*, mais une unité mal ordonnée et monotone parce qu'excessive. Il lui manque de la diversité, autrement dit de la *variété*.

Composition et interprétation

182

183

Troisième étude (fig. 182). Je reviens à la bouteille de cognac, moins haute, plus stylisée, en supprimant la bouteille et le verre de vin. Je pose une pomme jaune, une pomme rouge et une orange devant la bouteille et je place la tasse et le verre de cognac plus près du bord de la table. Enfin, je baisse le cadrage pour donner davantage d'importance à la chute de la nappe, dans l'ombre. C'est mieux, il n'y a pas tant de vide entre les deux ensembles, mais ...

Il me revient alors en mémoire le fameux tableau de Zurbaran, *Nature morte*, du musée du Prado, dans lequel le sujet et la composition se résument à une série de vases posés sur une table, les uns à côté des autres, et vus de face (fig. 183). Par association d'idées, je me suis souvenu d'une nature morte que j'ai peinte pour l'un de mes livres et dont le sujet est simplement quelques fruits, un verre de bière et une boîte en cuivre, également disposés sur une table les uns à côté des autres, mais avec un cadrage qui fait de la nappe un protagoniste (fig. 184). Avec cette idée en tête, j'en arrive ainsi à la quatrième et dernière étude de composition.

Quatrième étude (fig. 185). Je laisse la bouteille de cognac où elle était, j'appro-

che les trois fruits du bord de la table en changeant leur emplacement pour obtenir un plus grand contraste entre la pomme et l'orange, et je repousse la tasse et le verre de cognac pour que les éléments soient un peu plus alignés. J'imagine enfin un cadrage plus bas, en regardant les objets d'un peu au-dessous pour donner davantage d'importance à la nappe, dont j'ai patiemment organisé les plis que vous pouvez voir dans la composition définitive.

Tant de tours et de détours pour composer une nature morte comme celle-ci ? Eh bien oui ! À la fin du siècle dernier, le peintre Louis Le Bail a été le témoin de la façon dont Cézanne composait ses natures mortes. « D'abord, il plaça la nappe blanche sur la table et passa un bon moment à étudier les plis. Ensuite, il plaça les pêches, opposant et superposant les couleurs les unes aux autres, faisant en sorte de contraster les couleurs complémentaires, les verts avec les rouges, les jaunes avec les bleus, soulevant, inclinant et changeant continuellement la position des fruits, se servant d'une pièce d'un sou ou de deux sous pour équilibrer et consolider la position des fruits. Et il fallait voir l'attention et l'enthousiasme qu'il mettait dans cette tâche ! »

Parlons maintenant d'interprétation. Il faut étudier et imaginer en même temps que vous choisissez et composez votre sujet. Le tableau que vous peignez n'a aucune raison d'être identique,

Fig. 182 et 183. Nouve essai, nouveau change ment. Je reviens à l bouteille de cognac, mets moins de fruits ... e je me souviens tout d'u coup du tableau de Zu baran, *Nature morte*, a musée du Prado.

4

185

g. 184 et 185. Le sou-
enir de la *Nature morte*
e Zurbaran m'a fait reve-
ir en mémoire une
ature morte que j'avais
einte sur le même
nème et avec la même
omposition, mais en
onnant davantage
'importance à la nappe.
n partant de ces deux
ouvenirs, je parviens à la
onstruction définitive de
figure 185.

en forme et en couleur, au modèle. Delacroix a écrit dans son journal : « Mes
tableaux ne sont pas du tout des tableaux
réels. Les artistes qui se contentent de
reproduire leurs croquis ne donneront
jamais à leurs spectateurs un sentiment
vivant de la nature. » En effet, les maîtres anciens et modernes n'ont jamais
copié le modèle exactement comme il
était. Ce qui primait avant tout chez eux,
c'était leur inventivité, leur créativité, et
ils peignaient souvent de mémoire, en
imaginant, en interprétant.

À propos de l'imagination et la créativité, le psychophysicien Fischer parlait
dans son ouvrage *Art et coexistence* de
la « trinité de l'interprétation » : la capacité de représentation, la capacité de
combinaison et l'imagination créatrice.
Il développait cette idée en constatant
que lorsque l'artiste contemple son sujet,
il peut lui venir à l'esprit — par association d'idées ou par volonté consciente —
des représentations d'autres images vues
et mémorisées à cause de leur valeur formelle ou chromatique, qu'il s'agisse d'un
paysage de fin de journée, d'un tableau
de Van Gogh ou d'un film de Visconti ...
À partir de ces représentations, l'artiste
se construit une idée différente de celle

qu'offre la réalité, une idée qui vient sup-
planter la réalité première. Il combine
alors ce qu'il voit de ses yeux avec ce qu'il
« voit » de l'intérieur, découvre des asso-
ciations entre la réalité et ses souvenirs,
étudie de nouvelles possibilités ... et crée.
Les idées de Fischer méritent d'être
approfondies pour essayer de les appliquer. Quoi qu'il en soit, il existe certaines règles, simples et concrètes, sur l'art
d'interpréter. Par exemple :

> **Interpréter consiste fondamenta-
> lement à augmenter, diminuer,
> supprimer.**

Trois facteurs que l'artiste doit et peut
mettre en pratique, affirme André Lothe,
auteur de plusieurs ouvrages, « qu'il
s'agisse de lignes, de couleurs, de valeurs
ou de formes ».
En étudiant sous ce jour le sujet que nous
avons composé, je pense que nous pour-
rions : supprimer l'étiquette du côté droit
et du goulot de la bouteille de cognac ;
diminuer l'intensité de ton de la partie
dans l'ombre, au premier plan, de la
nappe ; diminuer également le contraste
entre l'ombre et la lumière sur les fruits
en intensifiant leur couleur ; augmenter
et équilibrer le ton du fond, en éclairant
le côté droit et en obscurcissant le côté
gauche ...

Comment commencer ?

Comment commencer un tableau ? En dessinant d'abord le modèle ou en peignant directement, sans dessin préalable ? Giorgio Vasari, le célèbre chroniqueur de la Renaissance, né à Arezzo, en Toscane, en 1511, explique dans son livre *Vie d'artistes* que Titien et d'autres peintres vénitiens « employaient immédiatement les couleurs, sans faire de dessin préparatoire ». Mais il est vrai qu'à Rome, Michel-Ange, jaloux du Titien et critiquant sa manière de faire, disait : « Il est dommage qu'à Venise on ne commence pas d'abord par apprendre à dessiner correctement. » Michel-Ange, Léonard, Raphaël, Rubens, Rembrandt, David, Degas et Dali, pour ne citer que quelques-uns, dessinaient leur sujet avant de commencer à peindre. De Vélazquez, au contraire, on dit qu'« il ne préparait pas ses portraits et, parfois, ne les dessinait même pas. Il procédait *alla prima*, en attaquant la toile avec le pinceau ». De Sorolla, on sait qu'« il attaquait directement le tableau avec des taches qui structuraient les formes de base ». Et Van Gogh écrivait, dans l'une de ses lettres à Théo : « Actuellement, rien ne me plaît davantage que le travail

au pinceau au lieu de faire l'esquisse au fusain. Je crois que les anciens Hollandais ont commencé et terminé leurs tableaux au pinceau. Ils ne remplissaient pas. »

Pour résumer toutes ces opinions, le professeur et critique d'art Waetzold affirmait à juste titre dans son ouvrage *L'Art et toi*, que :

> « L'artiste peintre ne voit pas d'abord la forme et ensuite la couleur, mais des couleurs avec des formes et des formes colorées, le tout en un. »

Comme disait Van Gogh, « il ne remplit pas ». Pourtant, en ce qui vous concerne, il vaut mieux *remplir*, c'est-à-dire dessiner d'abord et peindre ensuite. Le dessin préliminaire d'une peinture à l'huile se fait généralement au fusain, avec de simples traits (fig. 186) ou en modelant avec des ombres et des lumières estompées au doigt. On peut aussi réaliser le dessin préalable à la brosse et à la peinture grise, bleue ou Sienne (selon le sujet), diluée dans beaucoup d'essence de térébenthine (fig. 187).

Fig. 186 et 187. L'artiste expérimenté peut commencer son tableau en peignant directement, mais, mis à part le fait que de nombreux grands maîtres ont commencé par dessiner, il est recommandé au départ de structurer le sujet par un dessin. Il peut être exécuté soit au fusain, par de simples traits ou même en modelant les ombres et les lumières, soit à la brosse, avec une peinture très diluée dans l'essence de térébenthine.

186

187

Par où commencer ?

Fig. 188 et 189. Par où commencer ? Par les valeurs ou les ombres les plus foncées, afin d'avoir une référence de ton et de couleur qui permette de faciliter la recherche des autres. Il est également recommandé de peindre les espaces les plus vastes pour éviter le risque des faux contrastes.

Pour ma part, je débute toujours par les ombres les plus marquées (fig. 188). L'idée n'est pas de moi : je l'ai empruntée à Delacroix et à Corot qui, dans leurs écrits, recommandent spécifiquement :

> **En entamant une étude, un tableau ou un dessin, il me semble très important de commencer par une ébauche des valeurs les plus foncées.**
>
> *Eugène Delacroix*

> **La première chose à faire est le dessin, ensuite les valeurs, puis la couleur.**
>
> *Camille Corot*

Commencer par les valeurs ou les ombres les plus foncées suppose, d'entrée de jeu, de modeler, de créer une profondeur, de mettre en place la structure du sujet et, le plus important, de disposer d'une référence initiale qui, par comparaison, permet de trouver plus facilement le reste des tons et des couleurs.

Cependant, il existe une autre réponse tout aussi ou même plus importante que la précédente et que j'ai apprise d'un grand maître de l'impressionnisme :

> **Je commence toujours une toile par le ciel.**
>
> *Alfred Sisley*

Sisley, comme tous les artistes, voulait avant tout *remplir les espaces* afin d'éliminer le risque de faux contrastes. Voyez vous-même : lorsqu'il reste beaucoup d'espaces vierges sur la toile (fig. 188) et que vous commencez à peindre une zone ou une forme avec une couleur déterminée, si vous peignez alors le fond, la première couleur se trouve altérée par un effet de faux contraste. (Nous y reviendrons page suivante.)

Il y a donc deux manières de commencer une tableau : par les valeurs les plus foncées ou par les espaces les plus vastes (ciel, fond, etc.).

188

189

Contrastes

Nous avons déjà dit qu'en commençant un tableau, il est recommandé — et maintenant je dis « nécessaire » — d'éliminer les espaces blancs de la toile pour ne pas tomber dans des erreurs de contrastes et de couleurs.

La première possibilité d'erreur vient de ce que l'on appelle la *Loi des contrastes simultanés*, selon laquelle :

> **une couleur paraît d'autant plus intense que la valeur qui l'entoure est plus claire.**

Cet effet est parfaitement visible dans la silhouette des *Trois grâces* de Rubens imprimée sur fond blanc et sur fond noir (fig. 190 et 191). Les silhouettes sont de la même couleur et de la même valeur mais, par la *Loi des contrastes simultanés*, celle qui est imprimée sur fond blanc paraît d'une couleur et d'une valeur plus intenses que l'autre.

Un autre phénomène curieux est celui des *contrastes de couleurs successifs* (fig. 192), qui dérive de celui des contrastes simultanés. Si vous regardez fixement durant au moins trente secondes et sous une lumière intense les trois losanges de couleurs-pigment secondaires rouge, bleu intense et vert, et que vous fixiez ensuite l'espace blanc au-dessus des losanges, vous verrez ceux-ci dans leurs couleurs complémentaires : bleu clair, jaune et pourpre (en réalité, vous verrez quelque chose comme trois formes lumineuses ayant ces couleurs).

Au-dessous, les deux images du citron vert (fig. 193 et 194) donnent à la fois un nouvel exemple de contraste simultané et un autre phénomène connu sous le nom de *Loi d'induction des couleurs complémentaires*. Cette loi confirme l'idée de Delacroix lorsqu'il disait : « Je peux peindre avec la couleur sale de la boue le merveilleux corps d'une Vénus, à condition que je puisse choisir la couleur du fond. » Pour vérifier ce phénomène, vous regardez fixement pendant trente secondes le citron vert sur fond jaune, puis celui imprimé sur fond bleu intense. Ce dernier apparaît alors avec un légère tendance jaunâtre, et vice versa.

Enfin, vous pouvez vous rendre compte de ce que sont des faux contrastes destinés à rehausser des formes, ce que j'appelle des *contrastes provoqués*, dans le fragment du tableau du Greco, *La Résurrection* (fig. 195). Nous reviendrons plus tard sur ces contrastes, lorsque nous peindrons une nature morte.

Fig. 190 et 191. *Loi de contrastes simultanés* une couleur paraî d'autant plus intense qu la valeur qui l'entoure es plus claire, et vice versa Les deux silhouettes de *Trois grâces* de Ruben confirment cette loi.

190

191

La technique de la peinture directe

92

195

Fig. 192. *Contrastes de couleurs successifs*. En fixant les losanges rouge, bleu et vert et en regardant ensuite l'espace blanc laissé au-dessus, on voit les couleurs complémentaires.

Fig. 193 et 194. *Loi d'induction des complémentaires*. En regardant fixement le citron vert sur fond jaune, puis le même

sur fond bleu, ce dernier donne l'impression d'être nettement jaunâtre, et vice versa.

Fig. 195. *Contrastes créés pour rehausser des formes* : un artifice pratiqué par de nombreux artistes, comme ici par Le Greco dans *La Résurrection* (détail), musée du Prado, Madrid.

93

194

La technique de la peinture directe

Dans le domaine de la peinture à l'huile, si l'on exclut la technique de la peinture au couteau (qui n'a pas sa place ici car il s'agit d'un procédé où les brosses n'interviennent pratiquement pas), il existe deux formules, ou techniques, couramment utilisées pour réaliser un tableau : la *peinture directe* et la *peinture par étape*.

La technique de la peinture directe a été mise en pratique pour la première fois par les *impressionnistes*, précisément parce qu'ils prétendaient peindre — et ils y ont réussi — « la première impression ». C'est en partant de cette idée qu'ils ont réalisé certaines de leurs toiles en deux ou trois heures, en une matinée. « Oui, j'ai peint ce tableau en deux heures — affirmait Whistler à quelqu'un qui mettait en doute la possibilité et le résultat de la peinture directe —, mais j'ai travaillé pendant des années pour pouvoir aujourd'hui le faire en deux heures. »

En suivant pas à pas la progression du tableau reproduit ci-contre, vous aurez un bon exemple de la technique de la peinture rapide. Je l'ai réalisé un jour de novembre où il faisait très froid, dans les Pyrénées, près de la frontière française. J'y ai travaillé environ deux heures d'après nature et une heure, ensuite, en atelier.

J'ai utilisé cette technique que le célèbre paysagiste Camille Corot expliquait si lucidement lorsqu'il écrivait : « Je sais d'expérience qu'il est très utile d'esquisser le tableau très simplement **et ensuite de le réaliser pas à pas, de la manière la plus complète possible dès le premier passage, de façon qu'il ne reste que très peu à faire lorsque toute la toile est recouverte.** » (Souligné par l'auteur.)

Et il ajoutait ensuite un commentaire qui est à lui seul une leçon : « J'ai observé que tout ce qui se réalise directement est plus naturel et plus agréable, et qu'en le faisant on bénéficie de l'avantage d'un accident heureux, tandis qu'en repeignant — en peignant et en retouchant ce qui est déjà fait —, on perd souvent la spontanéité de la première touche et l'harmonie de la première couleur. »

Je vous laisse avec la leçon de Corot et avec le déroulement de ce tableau peint avec la même technique. Lisez attentivement les légendes des photos qui illustrent cette technique de la peinture directe, celle de Corot et de ses disciples, les impressionnistes.

Fig. 196. **Premier pas** une esquisse rapide a fusain pour déterminer l cadrage et les formes le plus marquantes du suje à peindre.

Fig. 197. **Deuxième pas** «remplir» les espaces Les montagnes du fond sont traitées avec la couleur qui peut être considérée comme définitive Les tons et les formes des arbres du fond son ébauchés, et pourtant pratiquement terminés.

196

197

Fig. 198. Troisième pas :
«Ce qui est fait est fait»
lorsqu'on peint *alla
prima*, comme disent les
Italiens. Et comme disait
Corot : «De la façon la
plus complète possible
dès le premier passage,
de façon qu'il ne reste
que très peu à faire lorsque toute la toile est
recouverte. »

**Fig. 199. Quatrième et
dernier pas :** j'ai peint les
arbres du milieu et de
l'arrière-plan, ainsi que
celui du premier plan à
gauche, sur le terrain,
devant le modèle. J'ai
pris une photo et ensuite,
en atelier, j'ai peint les
bords lumineux de l'arbre
du premier plan, j'ai rec-
tifié la perspective du
chemin (qui était fausse)
et j'ai peint les dalles du
côté droit du chemin.

198

99

La peinture par étape

Fig. 200. **Esquisse préliminaire :** le thème étant choisi, *Hommage à Beethoven*, j'ai d'abord peint une esquisse pour laquelle j'ai imaginé une harmonie de couleurs chaudes, où le fond et même l'ombre grise, propre et portée, du masque de Beethoven ont une tendance crème, chaude.

Fig. 201. **Première séance (le lendemain) :** entre l'esquisse et cette première étape, j'ai étudié l'emplacement de chaque élément pour en arriver à cette composition définitive. À la fin de cette première séance, le thème est déjà structuré avec l'harmonie de couleurs chaudes de l'esquisse préliminaire. On remarque que la peinture est très diluée à l'essence de térébenthine.

J'ai réalisé ce tableau, *Hommage à Beethoven* — la peinture est mon métier, la musique mon hobby —, en trois séances, si l'on excepte la première où j'ai peint l'esquisse (fig. 200).
Observez chacune des trois versions de cet *Hommage à Beethoven* (fig. 201, 202 et 203). Nous venons de voir que dans la peinture directe, rapide, le tableau est exécuté « pas à pas, de la manière la plus

200

Fig. 202. **Deuxième étape (le lendemain) :** je change d'harmonie avec de nouvelles couleurs, je reconstruis et j'affirme les formes. Le changement de la couleur du fond — tendance bleuvert au lieu de crème — et de l'ombre propre et portée du masque — froide au lieu de chaude — améliore le contraste harmonique par rapport aux roses, au vase et à la table. Il s'agit, dans une certaine mesure, d'un contraste par juxtaposition de couleurs complémentaires.

201

202

complète possible dès le premier pas-sage ». Dans le cas présent, le tableau est peint et repeint à chaque séance, c'est-à-dire par étape. On le voit très bien, non seulement dans le fond, qui change même de couleur, en particulier entre la première et la deuxième séance, mais aussi dans le masque de Beethoven, le vase, les roses et même les feuilles dont la forme et la couleur varient. Dans la

peinture par étape, il est normal et même typique de commencer par des couches minces de peinture largement diluée avec de l'essence de térébenthine. Au cours des séances suivantes, par couches successi-ves, la matière s'épaissit et on termine par des frottis et des empâtements. Cette technique répond à la nécessité de pein-dre *gras sur maigre*, une règle dont nous parlerons plus loin.

Fig. 203. **Troisième et dernière séance (deux jours après):** à ce der-nier stade, comme on peut le voir, on assiste à une reconstruction pres-que totale de la forme, tout en maintenant la gamme de couleurs «approuvée» lors de la séance précédente. La peinture est maintenant plus épaisse, plus défini-tive, le tableau est plus travaillé, plus fini. Telles sont les caractéristiques techniques de la peinture par étape.

Peindre une nature morte avec toutes les couleurs

204

Fig. 204. Le sujet à peindre, tel que nous l'avons déjà composé à la page 95.

Fig. 205 et 206. Le dessin préliminaire, à partir d'un triangle, avec des valeurs de faible intensité afin de pouvoir corriger (fig. 205), puis avec des valeurs renforcées (fig. 206).

205

Fig. 207. Sur le gris général de la nappe, on ouvre des zones blanches avec un doigt propre.

Fig. 209. J'ai commencé par remplir des espaces — le fond, la nappe et la bouteille — pour éliminer le blanc de la toile et éviter les faux contrastes en peignant le reste.

... Avec toutes les couleurs, oui ! Et voici le modèle (toutes les couleurs sont sur ma palette, avec le même assortiment que celui de la page 37).

... Je regarde le modèle. Je le cadre mentalement, en pensant à l'espace que je laisserai de chaque côté du verre et de l'orange, en haut, en bas, au-dessus de la bouteille de cognac et en bas, dans les plis de la nappe. J'observe, je calcule, j'imagine les couleurs, les contrastes, les effets d'ombre et de lumière...

Ce travail d'observation préalable est normal et nécessaire avant de commencer à peindre. Et il est fréquent de passer dix minutes ou un quart d'heure à étudier les possibilités de formes et de couleurs.

Allons-y ! Étudions d'abord le modèle, esquissons-le au fusain en le replaçant dans un triangle de structure générale, dessinons les formes essentielles des objets en tenant compte des jeux d'ombre et de lumière, tout en restant dans un gris timide pour le cas où il faudrait rectifier (fig. 205). Ensuite, assurons-nous du cadre, intensifions le dessin en utilisant le bout ou le plat du fusain (fig. 206). Pour la nappe, dans un premier temps, je dessine un gris général et j'efface le fusain du bout du doigt, traçant ainsi des zones blanches qui guideront le travail de l'ombre et de la lumière dans les plis (fig. 207). Pour « peindre » ces blancs, il est absolument indispensable que le doigt soit propre.

206

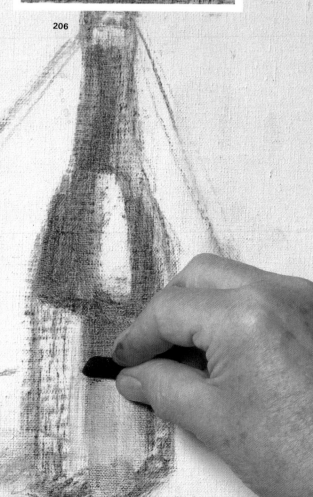

208

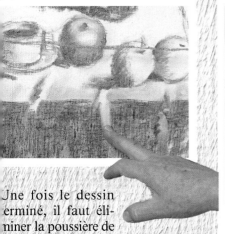

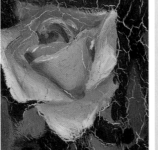

Gras sur maigre (fig. 208).

Pour éviter qu'un tableau ne se craquelle, il faut peindre les premières couches avec beaucoup d'essence de térébenthine. Lorsque la peinture est mélangée à la térébenthine, son caractère *huileux* s'atténue. Au contraire, lorsque la peinture est mélangée à l'huile de lin, son caractère huileux augmente. Si la première couche d'un tableau est réalisée avec de la peinture à l'huile mélangée à de l'huile de lin, et si les couches suivantes sont passées à la peinture maigre, cette dernière couche maigre séchera plus rapidement que celle du dessous, grasse. Et lorsque cette dernière séchera à son tour, elle rétrécira et craquellera.

Une fois le dessin terminé, il faut éliminer la poussière de fusain et fixer le reste de manière que le carbone ne salisse pas les couleurs en se mélangeant à la peinture à l'huile. Pour cela, il existe deux formules. La première consiste à « effacer » le dessin en passant dessus, très doucement, un chiffon qui retiendra la poussière du fusain mais laissera une trace, faible mais visible, du dessin initial. L'autre formule consiste à fixer le dessin avec un fixatif en aérosol, spécial pour fusain. C'est le système le plus pratique et le plus sûr. Mais attention : il en faut plusieurs couches ! Lorsque le fixatif est pulvérisé sur la couche d'apprêt de la toile, il tarde à sécher. Il faut donc de courtes pulvérisations pour éviter que le fixatif ne dilue le fusain et coule sur le dessin.

Une fois le dessin fixé, je commence à peindre en *remplissant les espaces*, d'abord les grandes surfaces du fond puis le vert de la bouteille de cognac. Remarquez qu'à ce premier stade, la peinture est mince, très diluée avec de l'essence de térébenthine, pour respecter la règle du *gras sur maigre*, une règle que je vous explique dans l'encadré ci-contre (fig. 208).

209

Deuxième stade : la pomme, l'orange, la pomme

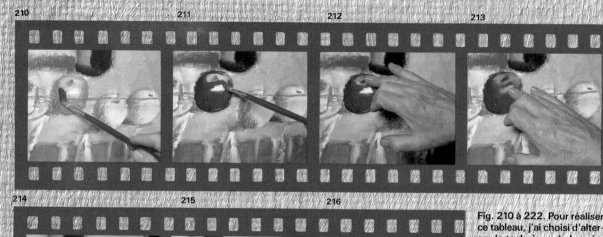

Fig. 210 à 222. Pour réaliser ce tableau, j'ai choisi d'alterner la technique de la peinture directe ou rapide et celle de la peinture par étape. Vous trouverez à la page suivante toutes les explications de cette alternance, figure par figure, pour peindre les trois fruits.

J'ai prévenu mon ami Juan, le photographe :

—Il va falloir que tu me fasses des photos avec ton appareil à moteur pour qu'on voie, image par image, comment on dessine et on peint en même temps, *alla prima*...

Juan est mécontent :

—C'est complètement raté ! Le temps d'exposition était mauvais !

Juan s'est battu pendant près de trois quarts d'heure avec la cellule, le flash, l'obturateur et le diaphragme, mais il a magnifiquement réussi cette série.

J'ai peint cette nature morte en alternant la technique directe et la technique par étape, c'est-à-dire, pour revenir à Corot, en la « réalisant de la manière la plus complète possible dès le premier passage », en peignant par exemple une pomme jusqu'à la terminer presque complètement — peinture directe —, mais en y revenant par la suite pour peindre l'ombre portée, provoquer un contraste, redessiner la queue, ajouter une touche de couleur... autrement dit en peignant par étape.

Reprenons le processus image par image : Je commence par la pomme rouge. Voyons si du carmin avec un peu de rouge fait l'affaire. Essayons avec une touche de ce mélange (c'est très fréquent de voir un peintre essayer une touche de mélange directement sur sa toile) [fig. 210].

La couleur est bonne mais j'ajoute un peu de vermillon dans la zone éclairée et une pointe de bleu outremer dans la zone d'ombre. Remarquez que je laisse le blanc de la toile à la place du point lumineux (fig. 211).

Je peins le creux de la pomme avec un jaune de cadmium, un peu de carmin, un peu de blanc et une pointe de vert permanent. Je mélange et je dégrade, en passant doucement le bout de l'annulaire (une technique héritée de Titien, qui peignait au doigt comme s'il le faisait au pinceau, et que de nombreux artistes utilisent aujourd'hui) [fig. 212].

Je peins le point lumineux avec du blanc, une pointe de carmin et une autre de bleu de cobalt. Ensuite, j'estompe les contours avec le doigt et je laisse la pomme rouge à ce stade (fig. 213).

Maintenant l'orange. Je me suis trompé et j'ai essayé la couleur juste à l'emplacement du brillant. Pas de problème. J'efface avec un chiffon imbibé d'essence de térébenthine (fig. 214).

Les impressionnistes l'ont dit : la couleur de l'ombre contient toujours la complémentaire de la couleur locale. La complémentaire de l'orange —la couleur locale — est le bleu (fig. 215).

Je le mélange à l'orange et je laisse l'orange dans cet état (fig. 216).

Voyons enfin la pomme jaune. Je peins la partie éclairée avec un jaune citron, mélangé avec du cadmium moyen, et la partie sombre avec un mélange de jaune de cadmium et de bleu outremer, complémentaire du jaune (fig. 217).

Pour la lumière réfléchie, je donne un coup de pinceau de jaune de cadmium et un autre d'ocre (fig. 218). Ensuite, j'harmonise et je dégrade avec une brosse propre (fig. 219) et avec le doigt (fig. 220). C'est fini.

À ce stade, le tableau se trouve à l'état d'avancement que vous voyez sur la figure 223. La bouteille de cognac est pratiquement terminée mais il lui manque un peu de transparence, l'ovale du niveau du liquide n'est pas fait, il faut renforcer un peu la couleur foncée... Les fruits ont l'air terminés mais ce n'est qu'un air...

Je vous l'ai dit : *alla prima*, mais par étape.

223

Fig. 223. L'état d'avancement de la nature morte à la fin de ce deuxième stade.

Troisième stade (le lendemain) : la tasse, le verre, la nappe

224

225

Fig. 224 et 225. J'entame ce troisième stade avec les ombres portées des fruits. Je peins ensuite la tasse de café en superposant la couleur de l'ombre sur le blanc de la lumière, en suivant la forme cylindrique de la tasse. Je résous le dégradé avec des coups de brosse allant du plus sombre au plus clair.

226

227

228

J'ai peint *avant* l'ombre portée de la bouteille de cognac sur la nappe et je peins *maintenant* les ombres portées par les fruits ; je peindrai *après* les ombres de la tasse et du verre sur la nappe. Et j'insiste sur ce « avant, maintenant, après » parce qu'il ne serait pas bon de peindre la couleur de l'ombre de la bouteille et de « profiter » du mélange pour peindre ensuite toutes les autres en série. Ne le faites pas : la productivité et le marketing ne font pas bon ménage avec l'art ! Composez à chaque fois la couleur pour obtenir une plus grande diversité de nuances.

Il n'est pas bon non plus de peindre une forme — un fruit, des lèvres, un arbre — et de rester là à travailler jusqu'à ce qu'elle soit totalement terminée. Allez et venez, restez et repartez, peignez en englobant toute la toile d'un seul regard pour vous sentir obligé de la faire avancer pas à pas, progressivement.

J'attaque la tasse. Je peins le blanc de la lumière et, alors qu'il est encore humide, je superpose la couleur de son ombre propre (bleu outremer, terre d'ombre brûlée, un peu d'ocre et une pointe de carmin, le tout mélangé avec beaucoup de

blanc). J'ai terminé le dégradé de cette ombre cylindrique avec des coups de brosse horizontaux, dirigés de gauche à droite, du foncé vers le clair, les uns calculés, les autres « lancés » (fig. 224 et 225). Ce n'est pas facile mais essayez de le faire pour obtenir un fini plus spontané. Sur la base des couleurs mentionnées, plus ou moins intenses — davantage de bleu outremer et de terre d'ombre, harmonisés avec des pointes d'ocre et de carmin, sans oublier le blanc, évidemment —, plus ou moins froides, je peins la soucoupe. Pour le café, je me contenterai d'une terre d'ombre brûlée avec un peu de bleu et une brosse ronde en poil de martre n° 6, pour ne pas dépasser, et j'arrête, pour l'instant, de travailler sur cet élément du tableau.

Le verre demande d'abord d'être dessiné-peint sur le fond de couleur de la nappe (un blanc crème grisé, avec beaucoup de blanc, de la terre d'ombre, du bleu de Prusse et un peu de carmin). Il faut travailler avec trois brosses propres, une pour les contours foncés, une autre pour les clairs, en mélangeant les couleurs précédentes avec le blanc crème de la nappe,

Fig. 226 à 228. Le traitement du verre est un peu laborieux. Je commence à travailler la forme et la transparence avec des gris et des dégradés légers que j'estompe avec le doigt. Je poursuis avec la couleur du cognac et je termine avec le blanc des points de lumière et des reflets.

Fig. 229. Le tableau semble terminé mais, en plus des plis de la nappe dans la partie ombrée du premier plan, il reste encore de nombreux détails à revoir et à améliorer.

et la dernière pour le blanc pur destiné aux taches de lumière. Puis on peint, on harmonise et on dégrade avec le doigt (fig. 226).

Ah ! J'allais oublier ! Le couleur du cognac dans le verre s'obtient avec du carmin et une pointe de bleu de cobalt dans le ton le plus foncé, avec du carmin, du rouge et de l'ocre (mélangé avec du jaune) dans la zone la plus claire (fig. 227 et 228).

Quatrième et dernier stade : la nappe et les détails

230

231

Avant de peindre la nappe, je dois terminer le bord supérieur du verre, un filet très mince de couleur plutôt foncée. Je le trace — avec une brosse ronde de martre n° 4 et une peinture suffisamment diluée pour qu'elle accroche — à main levée, sans pouvoir prendre appui sur la toile qui est entièrement humide. Dans ces cas-là, l'appuie-main est un outil précieux (voir p. 38, fig. 65). Ensuite, je dégrade et j'harmonise les contours du verre avec le doigt (fig. 230 et 231).

Passons à la nappe. Je peins le premier plan qui se trouve un peu dans l'ombre. L'ensemble des plis de cette partie est traité avec des empâtements de blanc dans les zones claires, dégradés au doigt et à la brosse, avec des frottis obtenus avec une brosse presque sèche (langue de chat n° 12) [fig. 232 à 235].

Pour terminer le tableau, peignons les queues des pommes et leur ombre, la lumière sur l'orange ; corrigeons la couleur et la lumière de la bouteille ; dégradons l'ombre portée de la bouteille et des fruits ; retouchons avec des contrastes provoqués les contours du verre, de la tasse et des fruits ; révisons les plis de la nappe ; fondons la limite de la nappe avec le fond ; corrigeons la couleur et le dégradé du fond (beaucoup de blanc, un tout petit peu d'ocre et de jaune, de la terre d'ombre brûlée, du vert permanent et du bleu outremer) avec une peinture diluée avec de l'essence de térébenthine pour qu'elle s'étale mieux.

Enfin, si vous voulez une finition brillante, vous pouvez vernir le tableau. Mais attention : attendez qu'il soit complètement sec, ce qui demande au minimum un mois. Aujourd'hui, le vernis se trouve dans le commerce sous forme de flacon, pour être étalé au pinceau, et de bombe aérosol.

Maintenant, asseyez-vous, reposez-vous : vous devez être fatigué. La peinture fatigue. Tennessee Williams, le célèbre dramaturge américain, dans son œuvre

232

233

234

235

La Chute d'Orphée, met dans la bouche de l'un de ses personnages cette phrase à propos de la peinture et de la fatigue :

« J'ai passé ma journée à peindre. J'ai achevé ce tableau en dix heures. Je ne me suis arrêté que pour manger, et je suis si fatigué que je tombe de sommeil. Non, il n'y a rien au monde de plus épuisant que de peindre (...) Mais en achevant l'œuvre, on a la sensation de faire partie de quelque chose. De quelque chose de grand et d'élevé. »

Fig. 230 et 231. Je termine le verre en peignant, à l'aide d'un appuie-main de fortune, le bord supérieur que j'harmonise avec le doigt.

Fig. 232 à 235. En « copiant » les formes du modèle, je peins les plis de la nappe avec une lumière rasante. Je peins avec deux brosses : l'une pour les blancs ou les gris très clairs, l'autre pour les foncés. Les plis sont traités par des frottis, avec une brosse presque sèche.

Fig. 236. Le résultat final. Observez, sur cette reproduction de plus grande taille, la diversité des tons, des nuances et des couleurs de la nappe, des fruits, de la bouteille et du verre de cognac. Cette diversité est due à une alternance de techniques : la peinture directe et la peinture par étape.

Remerciements

L'auteur tient à remercier l'illustrateur Jordi Segú et l'artiste Miquel Ferrón pour la réalisation des croquis et illustrations. Il remercie également David Sanmiquel pour sa collaboration aux textes sur l'histoire de la peinture à l'huile, la société Piera, qui a bien voulu fournir des informations et du matériel de dessin et de peinture, la société Talens, fabricant de peinture et de matériel, pour les illustrations de la page 30. Enfin, une pensée reconnaissante pour les artistes Francesc Crespo et Marta Durán qui ont autorisé la reproduction des photos de la table-palette (page 43) et du rayonnage pour ranger toiles et cadres (page 44).